하 루 10분 서술형 / 문장제 학습지

씨투엠

수학 독해

F1 분수와 소수
초6

사고가 자라는 수학
씨투엠

수학독해 : 수학을 스스로 읽고 해결하다

객관식이나 간단한 단답형 문제는 자신 있는데 긴 문장이나 풀이 과정을 쓰라는 문제는 어려워하는 아이들이 있어요. 빠르고 정확하게 연산하고 교과 응용문제까지도 곧잘 풀어내지만, 문제 속 상황이 약간만 복잡해지면 문제를 풀려고도 하지 않는 아이들도 많아요. 이러한 아이들에게 부족한 것은 연산 능력이나 문제 해결력보다는 독해력과 표현력입니다. 특히 수학적 텍스트를 이해하고 표현하는 능력, 즉 수학 독해력이지요.

요즘 아이들의 독해력이 약해진 가장 큰 이유는 과거에 비해 이야기를 만나는 방식이 다양해졌기 때문이에요. 예전에는 대부분 말이나 글로써만 이야기를 접했어요. 텍스트 위주로 여러 가지 사건을 간접 체험하고, 머리 속으로 상황을 그려 내는 훈련이 자연스럽게 이루어졌지요. 반면 요즘 아이들은 글보다도 TV나 스마트폰 등 영상매체에 훨씬 빨리, 자주 노출되기에 글을 통해 상상을 할 필요가 점점 없어지게 되었습니다.

그렇다고 아이들에게 어렸을 때부터 영화나 애니메이션을 못 보게 하고 책만 읽게 하는 것은 바람직하지 않고, 가능하지도 않아요. 시각 매체는 그 자체로 많은 장점이 있기 때문에 지금의 아이들은 예전 세대에 비해 이미지에 대한 이해력과 적용력이 매우 뛰어나답니다. 문제는 아직까지 모든 학습과 평가 방식이 여전히 텍스트 위주이기 때문에 지금도 아이들에게 독해력이 중요하다는 점이에요. 그래서 저희는 영상 매체에는 익숙하지만 말이나 글에는 약한 아이들을 위한 새로운 수학 독해력 향상 프로그램인 씨투엠 수학독해를 기획하게 되었어요.

씨투엠 수학독해는 기존 문장제/서술형 교재들보다 더욱 쉽고 간단한 학습법을 보여주려 해요. 문제에 있는 문장과 표현 하나하나마다 따로 접근하여 아이들이 어려워하는 포인트를 찾고, 각 포인트마다 직관적인 활동을 통해 독해력과 표현력을 차근차근 끌어올리려고 합니다. 또한 문제 이해와 풀이 서술 과정을 단계별로 세세하게 나누어 문장제, 서술형 문제를 부담 없이 체계적으로 연습할 수 있어요. 새로운 문장제 학습법인 씨투엠 수학독해가 문장제 문제에 특히 어려움을 겪고 있거나 앞으로 서술형 문제를 좀 더 잘 대비하고 싶은 아이들에게 큰 도움이 될 것이라 자신합니다.

씨투엠 수학독해의 구성과 특징

- 매일 부담없이 2쪽씩, 하루 10분 문장제 학습
- 매주 5일간 단계별 활동, 6일차는 중요 문장제 확인학습
- 5회분의 진단평가로 테스트 및 복습

주차별 구성

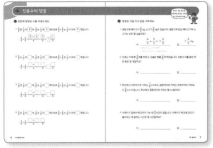

일일학습

꼬마 수학자들의
간단한 팁과 함께
매일 새롭게 만나는
단계별 문장제 활동

확인학습

중요 문장제 활동을
다시 한번 확인하며
주차 학습 마무리

1주차	1일	2일	3일	4일	5일	확인학습
	6쪽 ~ 7쪽	8쪽 ~ 9쪽	10쪽 ~ 11쪽	12쪽 ~ 13쪽	14쪽 ~ 15쪽	16쪽 ~ 18쪽

2주차	1일	2일	3일	4일	5일	확인학습
	20쪽 ~ 21쪽	22쪽 ~ 23쪽	24쪽 ~ 25쪽	26쪽 ~ 27쪽	28쪽 ~ 29쪽	30쪽 ~ 32쪽

3주차	1일	2일	3일	4일	5일	확인학습
	34쪽 ~ 35쪽	36쪽 ~ 37쪽	38쪽 ~ 39쪽	40쪽 ~ 41쪽	42쪽 ~ 43쪽	44쪽 ~ 46쪽

4주차	1일	2일	3일	4일	5일	확인학습
	48쪽 ~ 49쪽	50쪽 ~ 51쪽	52쪽 ~ 53쪽	54쪽 ~ 55쪽	56쪽 ~ 57쪽	58쪽 ~ 60쪽

진단평가 구성

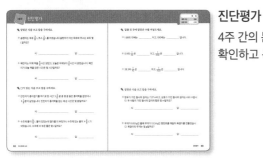

진단평가

4주 간의 문장제 학습에서 부족한 부분을
확인하고 복습하기 위한 자가 진단 테스트

진단평가	1회	2회	3회	4회	5회
	62쪽 ~ 63쪽	64쪽 ~ 65쪽	66쪽 ~ 67쪽	68쪽 ~ 69쪽	70쪽 ~ 71쪽

이 책의 차례

✿ 나눗셈의 몫을 분수로 나타내어 보세요.

✪ $2 \div 3 = \dfrac{2}{3}$

✪ $7 \div 2 = \dfrac{7}{2} = 3\dfrac{1}{2}$

① $1 \div 4 = \dfrac{\square}{\square}$

② $3 \div 5 = \dfrac{\square}{\square}$

③ $4 \div 9 = \dfrac{\square}{\square}$

④ $8 \div 11 = \dfrac{\square}{\square}$

⑤ $5 \div 3 = \dfrac{\square}{\square} = \square\dfrac{\square}{\square}$

⑥ $8 \div 7 = \dfrac{\square}{\square} = \square\dfrac{\square}{\square}$

⑦ $11 \div 6 = \dfrac{\square}{\square} = \square\dfrac{\square}{\square}$

⑧ $14 \div 5 = \dfrac{\square}{\square} = \square\dfrac{\square}{\square}$

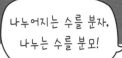

✿ 알맞은 식을 쓰고 답을 구하세요.

⭐ 3 m의 포장 끈을 5 명이 똑같이 나누어 가진다면 한 사람이 가지게 될 포장 끈은 몇 m인지 분수로 나타내세요.

식 : $3 \div 5 = \dfrac{3}{5}$ 　　　　　답 : $\dfrac{3}{5}$ m

① 철사 1 m를 모두 사용하여 정육각형 모양을 만들었습니다. 이 정육각형의 한 변의 길이는 몇 m인지 분수로 나타내세요.

식 : _____　　　답 : _____

② 6 L의 식혜를 5일 동안 똑같이 나누어 마시려면 하루에 마셔야 할 식혜는 몇 L인지 분수로 나타내세요.

식 : _____　　　답 : _____

③ 넓이가 11 cm²이고 가로가 7 cm인 직사각형의 세로는 몇 cm인지 분수로 나타내세요.

식 : _____　　　답 : _____

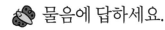
(자연수)÷(자연수) (2)

물음에 답하세요.

✪ 고구마를 심기로 한 텃밭이 더 넓은 모둠은 어느 모둠인지 써 보세요.

> 지수: 우리 모둠의 텃밭은 14 m²야. 감자, 상추, 고구마를 똑같은 넓이로 심기로 했어.
>
> 현희: 우리 모둠의 텃밭은 19 m²야. 딸기, 옥수수, 토마토, 고구마를 똑같은 넓이로 심기로 했어.

$14 \div 3 = \dfrac{14}{3} = 4\dfrac{2}{3}$ (m²), $19 \div 4 = \dfrac{19}{4} = 4\dfrac{3}{4}$ (m²)

$4\dfrac{2}{3}\left(=4\dfrac{8}{12}\right) < 4\dfrac{3}{4}\left(=4\dfrac{9}{12}\right)$

답 : __현희네 모둠__

① 장미를 심기로 한 꽃밭이 더 넓은 모둠은 어느 모둠인지 써 보세요.

> 지은: 우리 모둠의 꽃밭은 15 m²야. 장미, 채송화, 봉선화, 개나리를 똑같은 넓이로 심기로 했어.
>
> 미솔: 우리 모둠의 텃밭은 10 m²야. 팬지, 장미, 튤립을 똑같은 넓이로 심기로 했어.

답 : _____

② 파란색을 칠한 부분이 더 넓은 사람은 누구인지 써 보세요.

> 미우: 내 도화지의 넓이는 23 cm²야. 노란색, 주황색, 파란색, 초록색을 똑같은 넓이로 색칠하기로 했어.
>
> 은경: 내 도화지의 넓이는 29 cm²야. 빨간색, 파란색, 갈색, 보라색, 분홍색을 똑같은 넓이로 색칠하기로 했어.

답 : _____

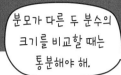

분모가 다른 두 분수의 크기를 비교할 때는 통분해야 해.

🐞 알맞은 식을 쓰고 답을 구하세요.

⭐ 한 병에 $\frac{4}{3}$ L씩 들어 있는 우유가 ③병 있습니다. 이 우유를 ⑤일 동안 똑같이 나누어 마신다면 하루에 몇 L씩 마실 수 있을까요?

식 : $\frac{4}{3} \times 3 = 4, \ 4 \div 5 = \frac{4}{5}$　　　답 : $\frac{4}{5}$ L

① 한 상자에 $\frac{5}{6}$ kg씩 들어 있는 샤인머스켓 6상자를 8일 동안 똑같이 나누어 먹는다면 하루에 몇 kg씩 먹을 수 있을까요?

식 : _____　　　답 : _____

② 한 병에 $\frac{5}{7}$ L씩 들어 있는 주스가 14병 있습니다. 이 주스를 3명의 친구에게 똑같이 나누어 준다면 한 사람에게 몇 L씩 줄 수 있을까요?

식 : _____　　　답 : _____

③ 한 상자에 $\frac{11}{9}$ kg씩 들어 있는 자두 9상자를 일주일 동안 똑같이 나누어 먹는다면 하루에 몇 kg씩 먹을 수 있을까요?

식 : _____　　　답 : _____

(분수)÷(자연수) (1)

🐝 2가지 방법으로 계산해 보세요.

⭐ 방법1 $\dfrac{4}{7} \div 3 = \dfrac{4 \times \boxed{3}}{7 \times 3} \div 3 = \dfrac{\boxed{12} \div 3}{21} = \dfrac{\boxed{4}}{21}$

방법2 $\dfrac{4}{7} \div 3 = \dfrac{4}{7} \times \dfrac{1}{\boxed{3}} = \dfrac{\boxed{4}}{21}$

① 방법1 $\dfrac{6}{11} \div 2 = \dfrac{\boxed{} \div 2}{11} = \dfrac{\boxed{}}{11}$

방법2 $\dfrac{6}{11} \div 2 = \dfrac{6}{11} \times \dfrac{1}{\boxed{}} = \dfrac{\boxed{}}{11}$

② 방법1 $\dfrac{7}{13} \div 5 = \dfrac{7 \times \boxed{}}{13 \times 5} \div 5 = \dfrac{\boxed{} \div 5}{65} = \dfrac{\boxed{}}{65}$

방법2 $\dfrac{7}{13} \div 5 = \dfrac{7}{13} \times \dfrac{1}{\boxed{}} = \dfrac{\boxed{}}{65}$

③ 방법1 $\dfrac{14}{9} \div 3 = \dfrac{14 \times \boxed{}}{9 \times 3} \div 3 = \dfrac{\boxed{} \div 3}{27} = \dfrac{\boxed{}}{27}$

방법2 $\dfrac{14}{9} \div 3 = \dfrac{14}{9} \times \dfrac{1}{\boxed{}} = \dfrac{\boxed{}}{27}$

(분수)÷(자연수)를 곱셈으로 바꾸면 (분수) × $\dfrac{1}{(자연수)}$

🐝 알맞은 식을 쓰고 답을 구하세요.

☆ 넓이가 $\dfrac{3}{4}$ m²인 종이를 잘라 4명에게 똑같이 나누어 주려고 합니다. 한 사람이 가질 수 있는 종이의 넓이는 몇 m²일까요?

식 : $\dfrac{3}{4} \div 4 = \dfrac{3}{16}$　　　　답 : $\dfrac{3}{16}$ m²

① 사과잼 $\dfrac{5}{7}$ kg을 6명에게 똑같이 나누어 주려고 합니다. 한 사람이 가질 수 있는 사과잼은 몇 kg일까요?

식 : _____　　　　답 : _____

② 우유 $\dfrac{12}{17}$ L를 크기가 같은 컵 8개에 똑같이 나누어 담았습니다. 컵 한 개에 담은 우유는 몇 L일까요?

식 : _____　　　　답 : _____

③ 길이가 $\dfrac{14}{9}$ m인 철사를 남김없이 모두 사용하여 정오각형 한 개를 만들었습니다. 만든 정오각형의 한 변의 길이는 몇 m일까요?

식 : _____　　　　답 : _____

(대분수)÷(자연수)

🪲 2가지 방법으로 계산해 보세요.

⭐ 방법1 $1\dfrac{2}{5}\div 3=\dfrac{\boxed{7}}{5}\div 3=\dfrac{7\times\boxed{3}}{5\times 3}\div 3=\dfrac{\boxed{21}\div 3}{15}=\dfrac{\boxed{7}}{15}$

방법2 $1\dfrac{2}{5}\div 3=\dfrac{\boxed{7}}{5}\times\dfrac{1}{\boxed{3}}=\dfrac{\boxed{7}}{15}$

① 방법1 $2\dfrac{2}{3}\div 4=\dfrac{\boxed{}}{3}\div 4=\dfrac{\boxed{}\div 4}{3}=\dfrac{\boxed{}}{3}$

방법2 $2\dfrac{2}{3}\div 4=\dfrac{\boxed{}}{3}\times\dfrac{1}{\boxed{}}=\dfrac{\boxed{}}{3}$

② 방법1 $2\dfrac{5}{6}\div 5=\dfrac{\boxed{}}{6}\div 5=\dfrac{17\times\boxed{}}{6\times 5}\div 5=\dfrac{\boxed{}\div 5}{30}=\dfrac{\boxed{}}{30}$

방법2 $2\dfrac{5}{6}\div 5=\dfrac{\boxed{}}{6}\times\dfrac{1}{\boxed{}}=\dfrac{\boxed{}}{30}$

③ 방법1 $3\dfrac{3}{8}\div 2=\dfrac{\boxed{}}{8}\div 2=\dfrac{27\times\boxed{}}{8\times 2}\div 2=\dfrac{\boxed{}\div 2}{16}=\dfrac{\boxed{}}{16}=1\dfrac{\boxed{}}{16}$

방법2 $3\dfrac{3}{8}\div 2=\dfrac{\boxed{}}{8}\times\dfrac{1}{\boxed{}}=\dfrac{\boxed{}}{16}=1\dfrac{\boxed{}}{16}$

대분수를 가분수로
바꾼 후 계산해.

🍪 알맞은 식을 쓰고 답을 구하세요.

☆ 페인트 ④통으로 벽면 $3\frac{4}{5}$ m²를 칠했습니다. 페인트 한 통으로 칠한 벽면의 넓이는 몇 m²일까요?

식 : $3\frac{4}{5} \div 4 = \frac{19}{20}$

답 : $\frac{19}{20}$ m²

① 소금 $2\frac{1}{4}$ kg을 3봉지에 똑같이 나누어 담으려면 한 봉지에 몇 kg씩 담아야 할까요?

식 : _____

답 : _____

② 주현이는 주스 $5\frac{4}{9}$ L를 일주일 동안 똑같이 나누어 마셨습니다. 하루에 몇 L씩 마셨을까요?

식 : _____

답 : _____

③ 넓이가 $8\frac{2}{5}$ cm²이고 밑변의 길이가 3 cm인 평행사변형이 있습니다. 이 평행사변형의 높이는 몇 cm일까요?

식 : _____

답 : _____

(분수)÷(자연수) (2)

✿ 다음 물음에 답하세요.

☆ 수 카드 3장을 모두 사용하여 계산 결과가 가장 작은 나눗셈식을 두 가지 만들고 계산해 보세요.

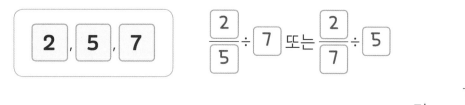

답 : $\dfrac{2}{35}$

① 수 카드 3장을 모두 사용하여 계산 결과가 가장 큰 나눗셈식을 두 가지 만들고 계산해 보세요.

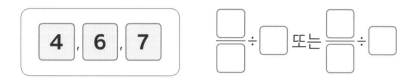

답 : _____

② 수 카드 3장을 모두 사용하여 계산 결과가 가장 큰 나눗셈식을 만들고 계산해 보세요.

답 : _____

두 분수의 분모가 같다면 분자가 큰 수가 더 커.

❀ 다음 물음에 답하세요.

✪ ☐ 안에 들어갈 수 있는 자연수를 모두 써 보세요.

$$\frac{\boxed{}}{12} < 1\frac{2}{3} \div 4$$

답 : _____ 1, 2, 3, 4 _____

$1\frac{2}{3} \div 4 = \frac{5}{3} \times \frac{1}{4} = \frac{5}{12}$ 이므로 $\frac{\boxed{}}{12} < \frac{5}{12}$
따라서 ☐ < 5입니다.

① ☐ 안에 들어갈 수 있는 자연수를 모두 써 보세요.

$$\frac{\boxed{}}{17} < \frac{14}{17} \div 2$$

답 : _____

② ☐ 안에 들어갈 수 있는 한 자리 자연수는 모두 몇 개인지 구해 보세요.

$$2\frac{1}{2} \div 9 < \frac{\boxed{}}{18}$$

답 : _____

③ ☐ 안에 들어갈 수 있는 자연수 중 가장 큰 수를 구해 보세요.

$$\frac{\boxed{}}{8} < 3\frac{1}{8} \div 5$$

답 : _____

✎ 알맞은 식을 쓰고 답을 구하세요.

① 5 m의 리본을 7명이 똑같이 나누어 가진다면 한 사람이 가지게 될 리본은 몇 m인지 분수로 나타내세요.

식 : _____   답 : _____

② 8 L의 우유를 3일 동안 똑같이 나누어 마시려면 하루에 마셔야 할 우유는 몇 L인지 분수로 나타내세요.

식 : _____   답 : _____

③ 한 상자에 $\frac{4}{5}$ kg씩 들어 있는 딸기 5상자를 9일 동안 똑같이 나누어 먹는다면 하루에 몇 kg씩 먹을 수 있을까요?

식 : _____   답 : _____

④ 한 병에 $\frac{11}{6}$ L씩 들어 있는 주스가 12병 있습니다. 이 주스를 13명의 친구에게 똑같이 나누어 준다면 한 사람에게 몇 L씩 줄 수 있을까요?

식 : _____   답 : _____

✎ 알맞은 식을 쓰고 답을 구하세요.

⑤ 넓이가 $\frac{3}{4}$ m²인 종이를 잘라 7명에게 똑같이 나누어 주려고 합니다. 한 사람이 가질 수 있는 종이의 넓이는 몇 m²일까요?

식 : _____ 답 : _____

⑥ 찰흙 $\frac{6}{7}$ kg을 3명에게 똑같이 나누어 주려고 합니다. 한 사람이 가질 수 있는 찰흙은 몇 kg일까요?

식 : _____ 답 : _____

⑦ 설탕 $1\frac{4}{5}$ kg을 3봉지에 똑같이 나누어 담으려면 한 봉지에 몇 kg씩 담아야 할까요?

식 : _____ 답 : _____

⑧ 넓이가 $6\frac{3}{4}$ cm²이고 가로가 6 cm인 직사각형이 있습니다. 이 직사각형의 세로는 몇 cm일까요?

식 : _____ 답 : _____

✏️ 다음 물음에 답하세요.

⑨ 수 카드 3장을 모두 사용하여 계산 결과가 가장 작은 나눗셈식을 두 가지 만들고 계산해 보세요.

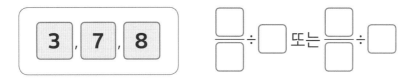

답 : _____

⑩ 수 카드 3장을 모두 사용하여 계산 결과가 가장 큰 나눗셈식을 만들고 계산해 보세요.

$$\boxed{2}, \boxed{5}, \boxed{6}$$

$$\boxed{}\dfrac{\boxed{}}{\boxed{}} \div 8$$

답 : _____

✏️ 다음 물음에 답하세요.

⑪ ☐ 안에 들어갈 수 있는 자연수를 모두 써 보세요.

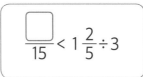

$$\dfrac{\boxed{}}{15} < 1\dfrac{2}{5} \div 3$$

답 : _____

2주차

소수의
나눗셈(1)

❀ 자연수의 나눗셈을 이용하여 소수의 나눗셈을 계산해 보세요.

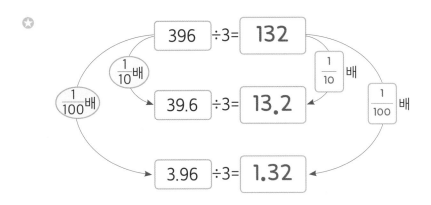

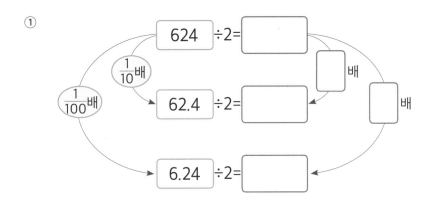

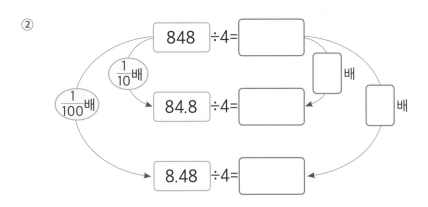

나누는 수가 같고
나누어지는 수가
$\frac{1}{10}$배가 되면
몫도 $\frac{1}{10}$배가 돼.

✿ 알맞은 풀이를 쓰고 답을 구하세요.

⭐ 끈 82.4 cm를 두 사람에게 똑같이 나누어 주려고 합니다. 한 명에게 줄 수 있는 끈은 몇 cm일까요?

풀이 : 1 cm = 10 mm이므로 82.4 cm = 824 mm

824 ÷ 2 = 412

한 명에게 줄 수 있는 끈은 412 mm이므로
41.2 cm입니다.

답 : __41.2 cm__

① 리본 96.3 cm를 세 사람에게 똑같이 나누어 주려고 합니다. 한 명에게 줄 수 있는 리본은 몇 cm일까요?

풀이 :

답 : _____

② 밧줄 4.88 m를 네 사람에게 똑같이 나누어 주려고 합니다. 한 명에게 줄 수 있는 밧줄은 몇 m일까요?

풀이 :

답 : _____

🍩 계산해 보세요.

⭐
```
        1 . 2 8
    7 ) 8 . 9 6
        7
        1 9
        1 4
          5 6
          5 6
            0
```
나누어지는 수의 소수점
위치에 맞춰 계산값에
소수점을 올려 찍습니다.

⭐
```
        0 . 7 4
    4 ) 2 . 9 6
        2 8
          1 6
          1 6
            0
```
몫이 1보다 작으면
자연수 부분에 0을
씁니다.

①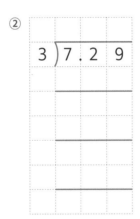

②

③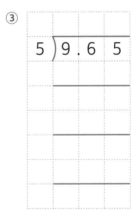

④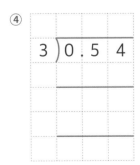

⑤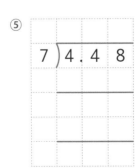

⑥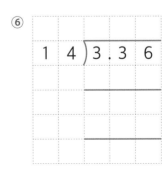

소수점만 주의하면 자연수의 나눗셈과 같은 방법으로 하면 돼.

🎲 알맞은 식을 쓰고 답을 구하세요.

⭐ 주스 8.82 L를 병 6 개에 똑같이 나누어 담으려고 합니다. 병 한 개에 담아야 할 주스는 몇 L일까요?

식 : _____8.82÷6=1.47_____   답 : ___1.47___ L

① 둘레가 7.75 cm인 정오각형의 한 변의 길이는 몇 cm일까요?

식 : _____   답 : _____

② 슬기네 가게의 사과 4개의 무게의 합이 1.84 kg일 때, 사과 1개의 무게의 평균은 몇 kg일까요?

식 : _____   답 : _____

③ 과수원에서 딴 체리 0.96 kg을 6명에게 똑같이 나누어 주려고 합니다. 한 명에게 나누어 줄 수 있는 체리는 몇 kg일까요?

식 : _____   답 : _____

🐝 계산해 보세요.

⭐
```
        0 . 7 5
   6 ) 4 . 5 0
       4 2
           3 0
           3 0
             0
```
계산이 끝나지 않으면 0을 하나 더 내려 계산합니다.

⭐
```
        1 . 0 7
   5 ) 5 . 3 5
       5
           3 5
           3 5
             0
```
수를 하나 내려도 나누어야 할 수가 나누는 수보다 작은 경우에는 몫에 0을 쓰고 수를 하나 더 내려 계산합니다.

①
```
5 ) 3 . 6
```

②
```
4 ) 8 . 6
```

③
```
6 ) 7 . 5
```

④
```
7 ) 7 . 2 8
```

⑤
```
5 ) 5 . 1
```

⑥
```
4 ) 2 4 . 2
```

분수로 바꿔 계산해도 되지만 세로셈에 익숙해지는 것이 좋아.

🐝 알맞은 식을 쓰고 답을 구하세요.

⭐ 준희네 가족은 귤 따기 체험에서 귤 8.5 kg을 땄습니다. 딴 귤을 2상자에 똑같이 나누어 담는다면 한 상자에 담아야 할 귤은 몇 kg일까요?

식 : __8.5÷2=4.25__   답 : __4.25 kg__

① 세로가 4 cm이고 넓이가 7.8 cm²인 직사각형의 가로는 몇 cm일까요?

식 : _____   답 : _____

② 물 30.3 L를 어항 6개에 똑같이 나누어 담았습니다. 어항 한 개에 담은 물은 몇 L일까요?

식 : _____   답 : _____

③ 철사 5.2 m를 8명이 똑같이 나누어 가지려고 합니다. 한 명이 가질 수 있는 철사는 몇 m일까요?

식 : _____   답 : _____

🎨 계산해 보세요.

☆
```
      0 . 7  5
  4 ) 3 . 0  0
      2 8
        2  0
        2  0
           0
```

①
```
  5 ) 8
```

②
```
  6 ) 2  1
```

③
```
  1 6 ) 4  0
```

④
```
  1 2 ) 5  7
```

⑤
```
  8 ) 2
```

⑥
```
  1 5 ) 9
```

⑦
```
  2 5 ) 1  6
```

더 이상 계산할 수 없을 때까지 내림을 하고, 내릴 수가 없는 경우 0을 내려 계산해.

 알맞은 식을 쓰고 답을 구하세요.

☆ 가로가 ⑤cm이고 넓이가 ㉗cm²인 직사각형의 세로는 몇 cm일까요?

식 : _____27÷5=5.4_____   답 : ___5.4 cm___

① 철사 39 m를 똑같이 12도막으로 자르면 철사 한 도막의 길이는 몇 m일까요?

식 : _____   답 : _____

② 우유 18 L를 45개의 컵에 똑같이 나누어 담았습니다. 컵 하나에 우유는 몇 L 있을까요?

식 : _____   답 : _____

③ 참외 60개의 무게가 33 kg일 때, 참외 한 개의 무게의 평균은 몇 kg일까요?

식 : _____   답 : _____

몫의 소수점 위치

❀ 어림셈하여 몫의 소수점 위치를 찾아 소수점을 찍어 보세요.

⭐ 32.4÷8

어림: $\boxed{32}$ ÷ $\boxed{8}$ ➡ 약 $\boxed{4}$ 몫: 4 . 0 ☐ 5

① 20.2÷4

어림: ☐ ÷ ☐ ➡ 약 ☐   몫: 5 ☐ 0 ☐ 5

② 95.7÷3

어림: ☐ ÷ ☐ ➡ 약 ☐   몫: 3 ☐ 1 ☐ 9

③ 35.4÷5

어림: ☐ ÷ ☐ ➡ 약 ☐   몫: 7 ☐ 0 ☐ 8

④ 78.4÷2

어림: ☐ ÷ ☐ ➡ 약 ☐   몫: 3 ☐ 9 ☐ 2

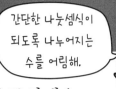

💠 어림셈하여 몫의 소수점 위치가 올바른 식을 찾아 ○표 하세요.

⭐

10.8÷5=216	10.8÷5=21.6
(10.8÷5=2.16)	10.8÷5=0.216

10.8을 반올림하여 일의 자리까지 나타내면 11입니다.

11÷5의 몫은 2보다 크고 3보다 작은 수이므로 10.8÷5=2.16이 답이 됩니다.

①

24.92÷4=623	24.92÷4=62.3
24.92÷4=6.23	24.92÷4=0.623

②

61.8÷3=206	61.8÷3=20.6
61.8÷3=2.06	61.8÷3=0.206

③

3.56÷4=890	3.56÷4=89
3.56÷4=8.9	3.56÷4=0.89

✎ 알맞은 식을 쓰고 답을 구하세요.

① 무게가 같은 연필 6자루의 무게는 21.36 g입니다. 연필 한 자루의 무게는 몇 g일까요?

식 : _____ 답 : _____

② 둘레가 9.92 cm인 정사각형의 한 변의 길이는 몇 cm일까요?

식 : _____ 답 : _____

③ 길이가 2.35 m인 철사를 5도막으로 똑같이 나누었을 때 철사 한 도막은 몇 m일까요?

식 : _____ 답 : _____

④ 설탕 0.84 kg을 6명에게 똑같이 나누어 주려고 합니다. 한 명에게 나누어 줄 수 있는 설탕은 몇 kg일까요?

식 : _____ 답 : _____

✎ 알맞은 식을 쓰고 답을 구하세요.

⑤ 무게가 같은 귤 상자 5개의 무게를 재었더니 9.1 kg이었습니다. 귤 상자 한 개의 무게는 몇 kg일까요?

식 : _____ 답 : _____

⑥ 가로가 8 cm이고 넓이가 10.8 cm²인 직사각형의 세로는 몇 cm일까요?

식 : _____ 답 : _____

⑦ 끈 54.3 cm를 6명이 똑같이 나누어 가지려고 합니다. 한 명이 가질 수 있는 끈은 몇 cm일까요?

식 : _____ 답 : _____

⑧ 일정한 빠르기로 8 km를 달리는 데 휘발유를 96.64 L 사용하는 자동차가 있습니다. 이 자동차가 1 km를 달리는 데 사용하는 휘발유는 몇 L일까요?

식 : _____ 답 : _____

✏️ 알맞은 식을 쓰고 답을 구하세요.

⑨ 길이가 22 cm인 오이를 똑같은 4도막으로 잘랐습니다. 오이 한 도막은 몇 cm일까요?

식 : _____   답 : _____

⑩ 사과 48개의 무게가 12 kg일 때, 사과 한 개의 무게의 평균은 몇 kg일까요?

식 : _____   답 : _____

✏️ 어림셈하여 몫의 소수점 위치가 올바른 식을 찾아 ◯표 하세요.

⑪

12.6÷5=252	12.6÷5=25.2
12.6÷5=2.52	12.6÷5=0.252

⑫

48.6÷3=162	48.6÷3=16.2
48.6÷3=1.62	48.6÷3=0.162

분모가 같은 분수의 나눗셈

🌼 ☐ 안에 알맞은 수를 써넣으세요.

☆ $\dfrac{4}{7} \div \dfrac{2}{7} = \boxed{4} \div \boxed{2} = \boxed{2}$

① $\dfrac{3}{10} \div \dfrac{1}{10} = \boxed{} \div \boxed{} = \boxed{}$

② $\dfrac{2}{3} \div \dfrac{2}{3} = \boxed{} \div \boxed{} = \boxed{}$

③ $\dfrac{8}{11} \div \dfrac{2}{11} = \boxed{} \div \boxed{} = \boxed{}$

④ $\dfrac{5}{9} \div \dfrac{2}{9} = \boxed{} \div \boxed{} = \boxed{}\dfrac{\boxed{}}{\boxed{}}$

⑤ $\dfrac{12}{13} \div \dfrac{7}{13} = \boxed{} \div \boxed{} = \boxed{}\dfrac{\boxed{}}{\boxed{}}$

⑥ $\dfrac{2}{5} \div \dfrac{3}{5} = \boxed{} \div \boxed{} = \dfrac{\boxed{}}{\boxed{}}$

⑦ $\dfrac{3}{7} \div \dfrac{5}{7} = \boxed{} \div \boxed{} = \dfrac{\boxed{}}{\boxed{}}$

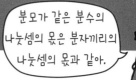

분모가 같은 분수의
나눗셈의 몫은 분자끼리의
나눗셈의 몫과 같아.

✿ 알맞은 식을 쓰고 답을 구하세요.

⭐ 주스 $\frac{6}{7}$ L를 한 병에 $\frac{3}{7}$ L씩 똑같이 나누어 담으려고 합니다. 몇 개의 병에 나누어 담을 수 있을까요?

식 : $\frac{6}{7} \div \frac{3}{7} = 2$

답 : 2병

① 상자 하나를 포장하려면 리본 $\frac{3}{14}$ m가 필요합니다. 리본 $\frac{9}{14}$ m로 똑같은 크기의 상자를 몇 상자까지 포장할 수 있을까요?

식 : _____

답 : _____

② 넓이가 $\frac{10}{11}$ cm² 인 평행사변형이 있습니다. 밑변의 길이가 $\frac{7}{11}$ cm일 때 높이는 몇 cm일까요?

식 : _____

답 : _____

③ 수민이의 가방의 무게는 $\frac{9}{13}$ kg이고, 찬수의 가방의 무게는 $\frac{11}{13}$ kg입니다. 수민이의 가방의 무게는 찬수의 가방의 무게의 몇 배일까요?

식 : _____

답 : _____

분모가 다른 분수의 나눗셈

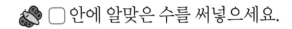 □ 안에 알맞은 수를 써넣으세요.

☆ $\dfrac{3}{5} \div \dfrac{3}{10} = \dfrac{\boxed{6}}{10} \div \dfrac{3}{10}$

$= \boxed{6} \div \boxed{3} = \boxed{2}$

① $\dfrac{2}{3} \div \dfrac{1}{9} = \dfrac{\boxed{}}{9} \div \dfrac{1}{9}$

$= \boxed{} \div \boxed{} = \boxed{}$

② $\dfrac{6}{7} \div \dfrac{3}{14} = \dfrac{\boxed{}}{14} \div \dfrac{3}{14}$

$= \boxed{} \div \boxed{} = \boxed{}$

③ $\dfrac{8}{13} \div \dfrac{2}{39} = \dfrac{\boxed{}}{39} \div \dfrac{2}{39}$

$= \boxed{} \div \boxed{} = \boxed{}$

④ $\dfrac{5}{6} \div \dfrac{7}{12} = \dfrac{\boxed{}}{12} \div \dfrac{7}{12}$

$= \boxed{} \div \boxed{} = \boxed{} \dfrac{\boxed{}}{\boxed{}}$

⑤ $\dfrac{3}{4} \div \dfrac{5}{11} = \dfrac{\boxed{}}{44} \div \dfrac{\boxed{}}{44}$

$= \boxed{} \div \boxed{} = \boxed{} \dfrac{\boxed{}}{\boxed{}}$

⑥ $\dfrac{2}{5} \div \dfrac{7}{10} = \dfrac{\boxed{}}{10} \div \dfrac{7}{10}$

$= \boxed{} \div \boxed{} = \dfrac{\boxed{}}{\boxed{}}$

⑦ $\dfrac{2}{3} \div \dfrac{3}{4} = \dfrac{\boxed{}}{12} \div \dfrac{\boxed{}}{12}$

$= \boxed{} \div \boxed{} = \dfrac{\boxed{}}{\boxed{}}$

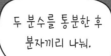

두 분수를 통분한 후 분자끼리 나눠.

알맞은 식을 쓰고 답을 구하세요.

☆ 넓이가 $\frac{3}{4}$ m²인 직사각형이 있습니다. 세로가 $\frac{2}{3}$ m일 때, 가로는 몇 m일까요?

식 : $\dfrac{3}{4} \div \dfrac{2}{3} = 1\dfrac{1}{8}$

답 : $1\dfrac{1}{8}$ m

① 설탕 $\frac{3}{5}$ kg을 한 통에 $\frac{3}{25}$ kg씩 담았습니다. 설탕을 담은 통은 모두 몇 개일까요?

식 : _____

답 : _____

② 생일잔치에서 피자 한 판 중 원영이는 전체의 $\frac{1}{8}$ 을 먹었고, 진희는 전체의 $\frac{3}{10}$ 을 먹었습니다. 진희가 먹은 피자 양은 원영이가 먹은 피자 양의 몇 배일까요?

식 : _____

답 : _____

③ 연수는 $\frac{2}{7}$ km를 걸어가는 데 $\frac{1}{14}$ 시간이 걸립니다. 연수가 같은 빠르기로 걷는다면 1시간 동안 갈 수 있는 거리는 몇 km일까요?

식 : _____

답 : _____

🐝 □ 안에 알맞은 수를 써넣으세요.

⭐ $6 \div \dfrac{3}{5} = (6 \div \boxed{3}) \times \boxed{5} = \boxed{10}$

6 ÷ 3의 몫에 분모 5를 곱합니다.

① $4 \div \dfrac{4}{7} = (4 \div \boxed{}) \times \boxed{} = \boxed{}$

② $12 \div \dfrac{4}{9} = (12 \div \boxed{}) \times \boxed{} = \boxed{}$

③ $15 \div \dfrac{5}{8} = (15 \div \boxed{}) \times \boxed{} = \boxed{}$

④ $10 \div \dfrac{5}{6} = (10 \div \boxed{}) \times \boxed{} = \boxed{}$

⑤ $35 \div \dfrac{7}{11} = (35 \div \boxed{}) \times \boxed{} = \boxed{}$

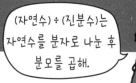 

🐝 알맞은 식을 쓰고 답을 구하세요.

⭐ 길이가 ⑫m인 천을 $\frac{4}{9}$ m씩 잘라 리본을 만들려고 합니다. 리본은 몇 개 만들 수 있을까요?

식 : $12 \div \frac{4}{9} = 27$

답 : 27개

① 자전거를 타고 2 km를 가는 데 $\frac{2}{5}$ 시간이 걸렸습니다. 같은 빠르기로 한 시간 동안 몇 km를 갈 수 있을까요?

식 : _____

답 : _____

② 냉장고에 우유가 8 L 있습니다. 하루에 우유를 $\frac{4}{9}$ L씩 먹는다면 며칠 동안 먹을 수 있을까요?

식 : _____

답 : _____

③ 수박 $\frac{2}{7}$ 통의 무게가 2 kg입니다. 수박 1통의 무게는 몇 kg일까요?

식 : _____

답 : _____

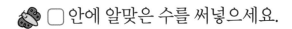 □ 안에 알맞은 수를 써넣으세요.

☆ $\dfrac{8}{11} \div \dfrac{4}{7} = \dfrac{8}{11} \times \dfrac{\boxed{7}}{\underset{\boxed{1}}{\cancel{4}}^{\boxed{2}}} = \dfrac{\boxed{14}}{11} = 1\dfrac{\boxed{3}}{11}$

① $\dfrac{2}{3} \div \dfrac{5}{7} = \dfrac{2}{3} \times \dfrac{\boxed{}}{\boxed{}} = \dfrac{\boxed{}}{\boxed{}}$

② $\dfrac{3}{4} \div \dfrac{9}{13} = \dfrac{\overset{\boxed{}}{\cancel{3}}}{4} \times \dfrac{\boxed{}}{\underset{\boxed{}}{\cancel{9}}} = \dfrac{\boxed{}}{12} = 1\dfrac{\boxed{}}{12}$

③ $\dfrac{3}{14} \div \dfrac{7}{10} = \dfrac{3}{14} \times \dfrac{\overset{\boxed{}}{\cancel{10}}}{\underset{\boxed{}}{\cancel{}}} = \dfrac{15}{\boxed{}}$

④ $\dfrac{7}{15} \div \dfrac{5}{18} = \dfrac{7}{\underset{\boxed{}}{\cancel{15}}} \times \dfrac{\overset{\boxed{}}{\cancel{18}}}{\boxed{}} = \dfrac{\boxed{}}{25} = 1\dfrac{\boxed{}}{25}$

⑤ $\dfrac{9}{26} \div \dfrac{8}{13} = \dfrac{9}{26} \times \dfrac{\overset{\boxed{}}{\cancel{13}}}{\underset{\boxed{}}{\cancel{}}} = \dfrac{9}{\boxed{}}$

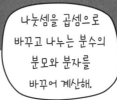

나눗셈을 곱셈으로 바꾸고 나누는 분수의 분모와 분자를 바꾸어 계산해.

🐝 알맞은 식을 쓰고 답을 구하세요.

⭐ 위인전의 무게는 $\frac{3}{4}$ kg이고, 동화책의 무게는 $\frac{2}{7}$ kg입니다. 위인전 무게는 동화책 무게의 몇 배일까요?

식 : $\dfrac{3}{4} \div \dfrac{2}{7} = 2\dfrac{5}{8}$ 답 : $2\dfrac{5}{8}$배

① 무게가 $\frac{3}{7}$ kg인 호스 $\frac{9}{13}$ m가 있습니다. 이 호스 1 m의 무게는 몇 kg일까요?

식 : _____   답 : _____

② 설탕 $\frac{6}{7}$ kg을 빈 통에 담아 보니 통의 $\frac{4}{5}$ 가 채워졌습니다. 한 통을 가득 채울 수 있는 설탕의 양은 몇 kg일까요?

식 : _____   답 : _____

③ $\frac{3}{5}$ km를 걸어가는 데 $\frac{3}{8}$ 시간이 걸립니다. 같은 빠르기로 1시간 동안 걸을 수 있는 거리는 몇 km일까요?

식 : _____   답 : _____

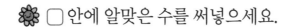

✿ □ 안에 알맞은 수를 써넣으세요.

☆ $5\dfrac{1}{2} \div \dfrac{3}{4} = \dfrac{\boxed{11}}{\underset{\boxed{1}}{\cancel{2}}} \times \dfrac{\overset{\boxed{2}}{\cancel{4}}}{3} = \dfrac{\boxed{22}}{3} = 7\dfrac{\boxed{1}}{3}$

① $8 \div \dfrac{12}{13} = 8 \times \dfrac{\overset{\boxed{}}{\cancel{}}}{\underset{\boxed{}}{\cancel{12}}} = \dfrac{\boxed{}}{3} = 8\dfrac{\boxed{}}{3}$

② $\dfrac{12}{5} \div \dfrac{3}{4} = \dfrac{\overset{\boxed{}}{\cancel{12}}}{5} \times \dfrac{\boxed{}}{\underset{\boxed{}}{\cancel{3}}} = \dfrac{\boxed{}}{5} = 3\dfrac{\boxed{}}{5}$

③ $\dfrac{25}{6} \div \dfrac{10}{11} = \dfrac{\overset{\boxed{}}{\cancel{25}}}{6} \times \dfrac{\boxed{}}{\underset{\boxed{}}{\cancel{10}}} = \dfrac{\boxed{}}{12} = 4\dfrac{\boxed{}}{12}$

④ $1\dfrac{3}{7} \div \dfrac{5}{6} = \dfrac{\overset{\boxed{}}{10}}{7} \times \dfrac{\boxed{}}{\underset{\boxed{}}{\cancel{5}}} = \dfrac{\boxed{}}{7} = 1\dfrac{\boxed{}}{7}$

⑤ $2\dfrac{7}{10} \div \dfrac{2}{5} = \dfrac{\boxed{}}{\underset{\boxed{}}{\cancel{10}}} \times \dfrac{\overset{\boxed{}}{\cancel{5}}}{\boxed{}} = \dfrac{\boxed{}}{4} = 6\dfrac{\boxed{}}{4}$

대분수가 있으면
가분수로 바꾼 후
계산해.

✿ 알맞은 식을 쓰고 답을 구하세요.

⭐ 붕어빵 한 개를 만드는 데 밀가루 $\frac{5}{8}$ 컵이 필요합니다. 밀가루 $8\frac{3}{4}$ 컵으로 만들 수 있는 붕어빵은 몇 개일까요?

식 : $8\frac{3}{4} \div \frac{5}{8} = 14$ 답 : 14개

① 우유 $\frac{16}{7}$ L를 병 한 개에 $\frac{4}{7}$ L씩 나누어 담으려고 합니다. 병은 몇 개 필요할까요?

식 : _____   답 : _____

② 경유 $\frac{5}{11}$ L로 $\frac{25}{9}$ km를 가는 트럭이 있습니다. 이 트럭은 경유 1 L로 몇 km를 갈 수 있을까요?

식 : _____   답 : _____

③ 보조배터리의 $\frac{5}{6}$ 를 충전하면 스마트폰을 $4\frac{4}{9}$ 시간 동안 사용할 수 있다고 합니다. 보조배터리를 모두 충전했을 때 스마트폰을 몇 시간을 사용할 수 있을까요?

식 : _____   답 : _____

✎ 알맞은 식을 쓰고 답을 구하세요.

① 어떤 물건을 1개 만드는 데 철사 $\frac{2}{13}$ m가 필요합니다. 철사 $\frac{8}{13}$ m로 물건을 몇 개 만들 수 있을까요?

식 : _____ 답 : _____

② 재활용품을 찬수는 $\frac{5}{8}$ kg, 주미는 $\frac{3}{8}$ kg 모았습니다. 찬수가 모은 재활용품은 주미가 모은 재활용품의 몇 배일까요?

식 : _____ 답 : _____

③ 넓이가 $\frac{7}{8}$ m²인 직사각형이 있습니다. 가로가 $\frac{5}{6}$ m일 때, 세로는 몇 m일까요?

식 : _____ 답 : _____

④ 범수는 $\frac{3}{7}$ km를 걸어가는 데 $\frac{9}{14}$ 시간 걸립니다. 범수가 같은 빠르기로 걷는다면 1시간 동안 갈 수 있는 거리는 몇 km일까요?

식 : _____ 답 : _____

✎ 알맞은 식을 쓰고 답을 구하세요.

⑤ 길이가 8 m인 리본을 $\frac{2}{3}$ m씩 잘라서 친구에게 나누어 주려고 합니다. 몇 명에게
나누어 줄 수 있을까요?

식 : _____   답 : _____

⑥ 체리 $\frac{4}{5}$ kg의 가격이 12000원입니다. 체리 1 kg의 가격은 얼마일까요?

식 : _____   답 : _____

⑦ 우유 $\frac{5}{7}$ L를 한 컵에 $\frac{5}{21}$ L씩 나누어 담으려고 합니다. 컵은 몇 개 필요할까요?

식 : _____   답 : _____

⑧ 무게가 $\frac{5}{9}$ kg인 철근 $\frac{2}{3}$ m가 있습니다. 이 철근 1 m의 무게는 몇 kg일까요?

식 : _____   답 : _____

✎ 알맞은 식을 쓰고 답을 구하세요.

⑨ 포도주스 $\frac{16}{5}$ L를 병 한 개에 $\frac{8}{25}$ L씩 나누어 담으려고 합니다. 병은 몇 개 필요할까요?

식 : _____   답 : _____

⑩ 밑변의 길이가 $\frac{7}{9}$ m이고 넓이가 $1\frac{3}{11}$ m²인 평행사변형이 있습니다. 이 평행사변형의 높이는 몇 m일까요?

식 : _____   답 : _____

⑪ 집에서 학교까지의 거리는 $\frac{4}{5}$ km이고, 집에서 은행까지의 거리는 $2\frac{3}{5}$ km입니다. 집에서 은행까지의 거리는 집에서 학교까지의 거리의 몇 배일까요?

식 : _____   답 : _____

⑫ 휘발유 $\frac{9}{10}$ L로 $\frac{27}{7}$ km를 가는 자동차가 있습니다. 이 자동차는 휘발유 1 L로 몇 km를 갈 수 있을까요?

식 : _____   답 : _____

4주차

소수의
나눗셈(2)

✿ 자연수의 나눗셈을 이용하여 소수의 나눗셈을 계산해 보세요.

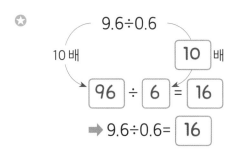

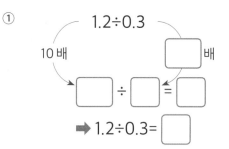

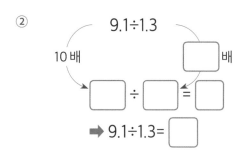

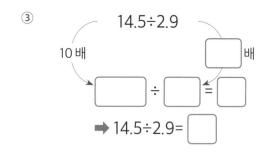

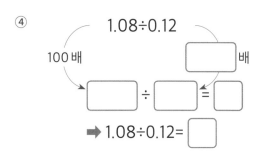

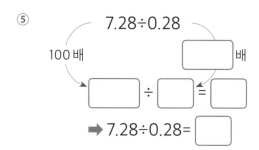

소수점을 각각 오른쪽
으로 같은 자리만큼
옮긴 후 계산해.

✿ 계산해 보세요.

⭐
```
          6
0.3 ) 1.8
      1 8
        0
```

①
```
0.9 ) 6.3
```

②
```
1.8 ) 7.2
```

③
```
0.3 ) 1 5.3
```

④
```
4.2 ) 7 1.4
```

⑤
```
2.7 ) 5 1.3
```

⑥
```
0.2 4 ) 1.6 8
```

⑦
```
0.1 6 ) 2.0 8
```

⑧
```
0.2 1 ) 7.3 5
```

🐞 계산해 보세요.

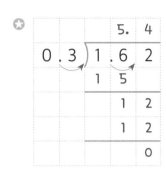

①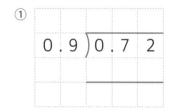

②

③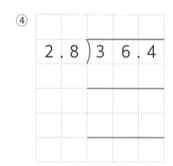

④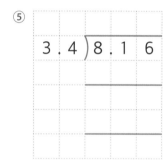

⑤

⑥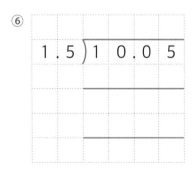

⑦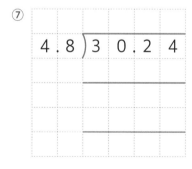

⑧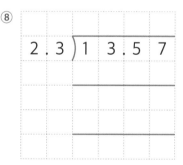

나누는 수가 자연수가 되도록 소수점을 각각 오른쪽으로 같은 자리만큼 옮겨.

 알맞은 식을 쓰고 답을 구하세요.

✪ 집에서 학교까지의 거리는 1.2 km이고, 집에서 은행까지의 거리는 2.52 km입니다. 집에서 은행까지의 거리는 집에서 학교까지의 거리의 몇 배일까요?

식 : __2.52÷1.2=2.1__ 답 : __2.1배__

① 물 24.5 L가 있습니다. 물을 물통 한 개에 0.7 L씩 담는다면 물통 몇 개가 필요할까요?

식 : _____ 답 : _____

② 넓이가 3.76 cm²인 평행사변형의 밑변의 길이가 0.94 cm입니다. 이 평행사변형의 높이는 몇 cm일까요?

식 : _____ 답 : _____

③ 딸기주스는 11.96 L, 포도주스는 4.6 L 있습니다. 딸기주스 양은 포도주스 양의 몇 배일까요?

식 : _____ 답 : _____

🐝 계산해 보세요.

★
```
          6 0
0.9 ) 5 4.0
      5 4
          0
```

①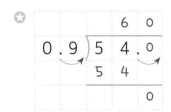

②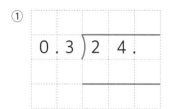

③
```
0.4 ) 6.
```

④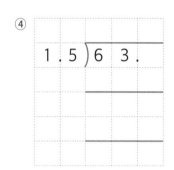

⑤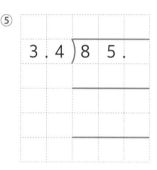

⑥
```
1.25 ) 5.
```

⑦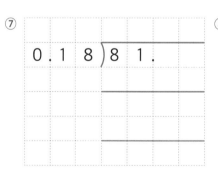

⑧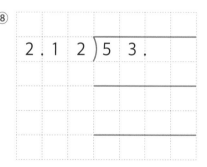

자연수 끝에 소수점과 0이 있는 것으로 생각하고 소수점을 오른쪽으로 같은 자리만큼 옮겨.

🐝 알맞은 식을 쓰고 답을 구하세요.

⭐ 카스테라 빵 1개를 만드는 데 설탕 3.5 g이 필요합니다. 설탕 21 g으로 카스테라 빵을 몇 개 만들 수 있을까요?

식 : 　　21÷3.5=6　　　　　　　　　　　답 : 　　6개　　

① 송현이는 빨간색 리본을 90 cm, 초록색 리본을 7.5 cm 가지고 있습니다. 빨간색 리본의 길이는 초록색 리본의 길이의 몇 배일까요?

식 : ＿＿＿＿＿＿＿＿＿＿＿＿＿　　답 : ＿＿＿＿＿＿＿＿

② 둘레가 345 m인 원 모양의 공원이 있습니다. 이 공원 둘레에 5.75 m 간격으로 나무를 심으려고 합니다. 필요한 나무는 모두 몇 그루일까요?

식 : ＿＿＿＿＿＿＿＿＿＿＿＿＿　　답 : ＿＿＿＿＿＿＿＿

③ 색 테이프 63 m를 3.15 m씩 잘라 리본을 만들려고 합니다. 리본을 몇 개 만들 수 있을까요?

식 : ＿＿＿＿＿＿＿＿＿＿＿＿＿　　답 : ＿＿＿＿＿＿＿＿

몫을 반올림하여 나타내기

🎲 몫을 반올림하여 소수 첫째 자리까지 나타내어 보세요.

★
```
      0 . 7 8
6 ) 4 . 7 0
    4 2
    ─────
      5 0
      4 8
    ─────
        2
```
몫 0.8

①
```
7 ) 2 .
```
몫 _____

②
```
3 ) 1 . 7
```
몫 _____

③
```
7 ) 2  8 . 9
```
몫 _____

④
```
6 ) 1  1 . 2
```
몫 _____

⑤
```
7 ) 1  2 .
```
몫 _____

⑥
```
1 1 ) 8  0 . 5
```
몫 _____

⑦
```
1 2 ) 5  2 .
```
몫 _____

⑧
```
2 3 ) 8  9 . 1
```
몫 _____

구하려는 자리 바로 아래 자리의 숫자가 0, 1, 2, 3, 4이면 버리고 5, 6, 7, 8, 9이면 올려.

알맞은 식을 쓰고 답을 구하세요.

⭐ 삼촌이 캔 고구마의 무게는 15.5 kg이고, 정민이가 캔 고구마의 무게는 7 kg입니다. 삼촌이 캔 고구마의 무게는 정민이가 캔 고구마의 무게의 몇 배인지 반올림하여 소수 첫째 자리까지 나타내세요.

식 : __15.5÷7=2.21……__   답 : __2.2배__

① 철사를 민수는 19.3 m, 효민이는 9 m를 가지고 있습니다. 민수가 가지고 있는 철사의 길이는 효민이가 가지고 있는 철사의 길이의 몇 배인지 반올림하여 소수 첫째 자리까지 나타내세요.

식 : _____   답 : _____

② 번개가 친 곳에서 21 km 떨어진 곳에서는 번개를 본 후 1분 후에 천둥소리를 들을 수 있습니다. 번개가 친 곳으로부터 90 km 떨어진 곳에서는 번개를 본 후 몇 분 후에 천둥소리를 들을 수 있는지 반올림하여 소수 첫째 자리까지 나타내세요.

식 : _____   답 : _____

③ 아버지의 몸무게는 78.4 kg이고, 민종이의 몸무게는 45 kg입니다. 아버지의 몸무게는 민종이의 몸무게의 몇 배인지 반올림하여 소수 첫째 자리까지 나타내세요.

식 : _____   답 : _____

✿ 알맞은 식을 쓰고 답을 구하세요.

⭐ 소금 25.2 kg을 한 봉지에 6 kg씩 나누어 담으려고 합니다. 나누어 담을 수 있는
봉지의 수와 남는 소금의 양을 구해 보세요.

$$
\begin{array}{r}
4 \\
6 \overline{)\ 2\ 5\ .\ 2} \\
2\ 4 \\
\hline
1\ .\ 2
\end{array}
$$

나누어 줄 수 있는 봉지의 수: __4__ 개

남는 소금의 양: __1.2__ kg

① 토마토 17.6 kg을 한 사람에게 3 kg씩 나누어 줄 때 나누어 줄 수 있는 사람의 수와
남는 토마토의 양을 구해 보세요.

나누어 줄 수 있는 사람의 수: _____ 명

남는 토마토의 양: _____ kg

② 끈 25.9 m를 한 사람에게 7 m씩 나누어 줄 때 나누어 줄 수 있는 사람의 수와 남는
끈의 길이를 구해 보세요.

나누어 줄 수 있는 사람의 수: _____ 명

남는 끈의 길이: _____ m

✿ 알맞은 식을 쓰고 답을 구하세요.

☆ 쌀 ⟨26.9⟩ kg을 한 봉지에 ⟨5⟩ kg씩 나누어 담으려고 합니다. 쌀을 남김없이 모두 나누어 담으려면 봉지는 최소 몇 개 필요한지 구해 보세요.

```
        5
   5 ) 2 6 . 9
       2 5
   ─────────
         1 . 9
```

답 : ___6개___

남는 쌀 1.9 kg도 봉지에 담아야 하므로 필요한 봉지는 5 + 1 = 6 (개)입니다.

① 물 13.4 L를 한 통에 2 L씩 나누어 담으려고 합니다. 물을 남김없이 모두 담으려면 물통은 최소 몇 개 필요한지 구해 보세요.

```
   )
```

답 : _____

② 보리 120.4 kg을 한 자루에 9 kg씩 나누어 담으려고 합니다. 보리를 남김없이 모두 담으려면 자루는 최소 몇 개 필요한지 구해 보세요.

```
   )
```

답 : _____

✎ 알맞은 식을 쓰고 답을 구하세요.

① 우유 1.6 L를 한 컵에 0.4 L씩 모두 나누어 담는다면 컵 몇 개가 필요할까요?

식 : _____ 답 : _____

② 상자 한 개를 포장하는 데 리본 0.6 m가 필요합니다. 리본 16.8 m로 상자를 몇 개 포장할 수 있을까요?

식 : _____ 답 : _____

③ 넓이가 2.61 cm²인 직사각형의 가로가 0.87 cm입니다. 이 직사각형의 세로는 몇 cm일까요?

식 : _____ 답 : _____

④ 집에서 시청까지의 거리는 33.12 km입니다. 자동차를 타고 집에서 출발하여 1분에 1.38 km를 가는 빠르기로 간다면 몇 분이 걸릴까요?

식 : _____ 답 : _____

✎ 알맞은 식을 쓰고 답을 구하세요.

⑤ 지훈이네 집에서 키우는 강아지의 무게는 6.72 kg이고, 고양이의 무게는 4.2 kg입니다. 강아지의 무게는 고양이의 무게의 몇 배일까요?

식 : _____ 　　답 : _____

⑥ 영지는 자전거를 타고 2.8시간 동안 24.92 km를 갔습니다. 영지가 일정한 빠르기로 갔다면 1시간 동안 간 거리는 몇 km일까요?

식 : _____ 　　답 : _____

⑦ 빵 1개를 만드는 데 설탕 7.5 g이 필요합니다. 설탕 195 g으로 빵을 몇 개 만들 수 있을까요?

식 : _____ 　　답 : _____

⑧ 길이가 140 cm인 가래떡을 5.6 cm씩 잘랐습니다. 자른 가래떡은 모두 몇 도막일까요?

식 : _____ 　　답 : _____

✎ 알맞은 식을 쓰고 답을 구하세요.

⑨ 정수가 캔 감자의 무게는 13.6 kg이고, 기석이가 캔 감자의 무게는 9 kg입니다. 정수가 캔 감자의 무게는 기석이가 캔 감자의 무게의 몇 배인지 반올림하여 소수 첫째 자리까지 나타내세요.

식 : _____   답 : _____

⑩ 길이가 3 m인 막대기의 무게는 8 kg입니다. 이 막대기의 굵기가 일정하다면 막대기 1 m의 무게는 몇 kg인지 반올림하여 소수 첫째 자리까지 나타내세요.

식 : _____   답 : _____

✎ 알맞은 식을 쓰고 답을 구하세요.

⑪ 설탕 10.6 kg을 한 봉지에 2 kg씩 나누어 담으려고 합니다. 나누어 담을 수 있는 봉지의 수와 남는 설탕의 양을 구해 보세요.

나누어 줄 수 있는 봉지의 수: _____ 개

남는 설탕의 양: _____ kg

⑫ 리본 14.6 m를 한 사람에게 4 m씩 나누어 줄 때 나누어 줄 수 있는 사람의 수와 남는 리본의 길이를 구해 보세요.

나누어 줄 수 있는 사람의 수: _____ 명

남는 리본의 길이: _____ m

진단평가

진단평가에는 앞에서 학습한 4주차의 문장제 활동이 순서대로 나옵니다. 잘못 푼 문제가 있으면 몇 주차인지 확인하여 반드시 한 번 더 복습해 봅니다.

1주차	3주차
2주차	4주차

✎ 알맞은 식을 쓰고 답을 구하세요.

① 철사 1 m를 모두 사용하여 정오각형 모양을 만들었습니다. 이 정오각형의 한 변의 길이는 몇 m인지 분수로 나타내세요.

식 : _____   답 : _____

② 넓이가 13 cm²이고 세로가 9 cm인 직사각형의 가로는 몇 cm인지 분수로 나타내세요.

식 : _____   답 : _____

✎ 알맞은 식을 쓰고 답을 구하세요.

③ 민지가 가지고 있는 철사의 길이는 선우가 가지고 있는 철사의 길이의 4배입니다. 민지가 철사 5.4 m를 가지고 있다면 선우가 가지고 있는 철사는 몇 m일까요?

식 : _____   답 : _____

④ 명수네 가족은 딸기 따기 체험에서 딸기 20.7 kg을 땄습니다. 딴 딸기를 6상자에 나누어 담는다면 한 상자에 담아야 할 딸기는 몇 kg일까요?

식 : _____   답 : _____

✎ 알맞은 식을 쓰고 답을 구하세요.

⑤ 우유 $\frac{24}{29}$ L를 한 병에 $\frac{4}{29}$ L씩 똑같이 나누어 담으려고 합니다. 몇 개의 병에 나누어 담을 수 있을까요?

식 : _____ 답 : _____

⑥ 경유 $\frac{3}{23}$ L로 $\frac{16}{23}$ km를 가는 자동차가 있습니다. 이 자동차는 경유 1 L로 몇 km를 갈 수 있을까요?

식 : _____ 답 : _____

✎ 알맞은 식을 쓰고 답을 구하세요.

⑦ 당근 117 kg을 한 상자에 7.8 kg씩 담으면 모두 몇 상자가 될까요?

식 : _____ 답 : _____

⑧ 색 테이프 40 m를 1.25 m씩 잘라 리본을 만들려고 합니다. 리본을 몇 개 만들 수 있을까요?

식 : _____ 답 : _____

✎ 알맞은 식을 쓰고 답을 구하세요.

① 한 병에 $\dfrac{7}{6}$ L씩 들어 있는 수정과가 6병 있습니다. 이 수정과를 10일 동안 똑같이 나누어 마신다면 하루에 몇 L씩 마실 수 있을까요?

식 : _____   답 : _____

② 한 상자에 $\dfrac{5}{7}$ kg씩 들어 있는 체리 14상자를 9일 동안 똑같이 나누어 먹는다면 하루에 몇 kg씩 먹을 수 있을까요?

식 : _____   답 : _____

✎ 어림셈하여 몫의 소수점 위치가 올바른 식을 찾아 ○표 하세요.

③

17.32÷4=433	17.32÷4=43.3
17.32÷4=4.33	17.32÷4=0.433

④

7.6÷8=950	7.6÷8=95
7.6÷8=9.5	7.6÷8=0.95

✎ 알맞은 식을 쓰고 답을 구하세요.

⑤ 후추 $\frac{3}{4}$ kg을 한 통에 $\frac{3}{16}$ kg씩 담았습니다. 후추를 담은 통은 모두 몇 개일까요?

식 : _____　　　답 : _____

⑥ 똑같은 케이크를 다희는 전체의 $\frac{5}{12}$ 를 먹었고, 민지는 전체의 $\frac{7}{18}$ 을 먹었습니다. 민지가 먹은 케이크 양은 다희가 먹은 케이크 양의 몇 배일까요?

식 : _____　　　답 : _____

✎ 알맞은 식을 쓰고 답을 구하세요.

⑦ 끈을 현정이는 18.5 cm, 가인이는 15 cm를 가지고 있습니다. 현정이가 가지고 있는 끈의 길이는 가인이가 가지고 있는 끈의 길이의 몇 배인지 반올림하여 소수 첫째 자리까지 나타내세요.

식 : _____　　　답 : _____

⑧ 넓이가 7 m²인 논에 40 kg짜리 거름 한 통을 골고루 나누어 뿌릴 때 논 1 m²에 필요한 거름은 몇 kg인지 반올림하여 소수 첫째 자리까지 나타내세요.

식 : _____　　　답 : _____

✎ 알맞은 식을 쓰고 답을 구하세요.

① 물 $\dfrac{7}{12}$ L를 크기가 같은 컵 5개에 똑같이 나누어 담았습니다. 컵 한 개에 담은 물은 몇 L일까요?

식 : _____   답 : _____

② 길이가 $\dfrac{21}{8}$ m인 철사를 남김없이 모두 사용하여 정칠각형 한 개를 만들었습니다. 만든 정칠각형의 한 변의 길이는 몇 m일까요?

식 : _____   답 : _____

✎ 알맞은 식을 쓰고 답을 구하세요.

③ 무게가 같은 연필 1타의 무게는 84.6 g입니다. 연필 한 자루의 무게는 몇 g일까요? (단, 1타는 12자루입니다.)

식 : _____   답 : _____

④ 리본 54.3 cm를 6명이 똑같이 나누어 가지려고 합니다. 한 명이 가질 수 있는 리본은 몇 cm일까요?

식 : _____   답 : _____

✎ 알맞은 식을 쓰고 답을 구하세요.

⑤ 자전거를 타고 6 km를 가는 데 $\frac{3}{7}$시간이 걸렸습니다. 같은 빠르기로 한 시간 동안 몇 km를 갈 수 있을까요?

식 : _____   답 : _____

⑥ 식혜가 16 L 있습니다. 하루에 식혜를 $\frac{4}{5}$ L씩 먹는다면 며칠 동안 먹을 수 있을까요?

식 : _____   답 : _____

✎ 알맞은 식을 쓰고 답을 구하세요.

⑦ 오렌지주스는 14.84 L, 포도주스는 5.3 L 있습니다. 오렌지주스 양은 포도주스 양의 몇 배일까요?

식 : _____   답 : _____

⑧ 민주가 가지고 있는 모래의 양은 흙의 양의 1.7배입니다. 가지고 있는 모래가 9.18 g일 때 가지고 있는 흙은 몇 g일까요?

식 : _____   답 : _____

✎ 알맞은 식을 쓰고 답을 구하세요.

① 무게가 똑같은 참외 7개의 무게를 재어 보니 $4\frac{1}{5}$ kg이었습니다. 참외 한 개의 무게는 몇 kg일까요?

식 : _____   답 : _____

② 성준이는 식혜 $3\frac{6}{7}$ L를 9일 동안 똑같이 나누어 마셨습니다. 하루에 몇 L씩 마셨을까요?

식 : _____   답 : _____

✎ 알맞은 식을 쓰고 답을 구하세요.

③ 가로가 4 cm이고 넓이가 27 cm²인 직사각형의 세로는 몇 cm인지 소수로 나타내세요.

식 : _____   답 : _____

④ 주스 12 L를 25개의 컵에 똑같이 나누어 담았습니다. 컵 하나에 주스는 몇 L 있는지 소수로 나타내세요.

식 : _____   답 : _____

✎ 알맞은 식을 쓰고 답을 구하세요.

⑤ 필통의 무게는 $\frac{2}{3}$ kg이고, 지갑의 무게는 $\frac{5}{12}$ kg입니다. 필통의 무게는 지갑의 무게의 몇 배일까요?

식 : _____   답 : _____

⑥ 고추장 $\frac{5}{9}$ kg을 빈 통에 담아 보니 통의 $\frac{5}{6}$가 채워졌습니다. 한 통을 가득 채울 수 있는 고추장의 양은 몇 kg일까요?

식 : _____   답 : _____

✎ 알맞은 식을 쓰고 답을 구하세요.

⑦ 식초 15.7 L를 한 통에 3 L씩 나누어 담으려고 합니다. 식초를 남김없이 모두 담으려면 통은 최소 몇 개 필요한지 구해 보세요.

답 : _____

⑧ 현미 57.6 kg을 한 자루에 8 kg씩 나누어 담으려고 합니다. 현미를 남김없이 모두 담으려면 자루는 최소 몇 개 필요한지 구해 보세요.

답 : _____

✎ 다음 물음에 답하세요.

① ☐ 안에 들어갈 수 있는 자연수를 모두 써 보세요.

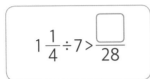

답 : _____

② ☐ 안에 들어갈 수 있는 자연수는 모두 몇 개인지 구해 보세요.

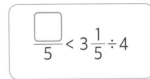

답 : _____

✎ 알맞은 식을 쓰고 답을 구하세요.

③ 우유 22.4 L를 병 8개에 똑같이 나누어 담으려고 합니다. 병 한 개에 담아야 할 우유는 몇 L일까요?

식 : _____   답 : _____

④ 무게가 같은 참치캔 9개의 무게는 2.16 kg입니다. 참치캔 한 개의 무게는 몇 kg일까요?

식 : _____   답 : _____

✎ 알맞은 식을 쓰고 답을 구하세요.

⑤ 떡볶이 1인분을 만드는 데 떡 $\frac{8}{15}$ kg이 필요합니다. 떡 $5\frac{1}{3}$ kg으로 만들 수 있는 떡볶이는 몇 인분일까요?

식 : _____   답 : _____

⑥ 효준이는 강아지와 앵무새를 한 마리씩 키우고 있습니다. 강아지의 무게는 $\frac{14}{3}$ kg, 앵무새의 무게는 $\frac{5}{9}$ kg일 때, 강아지의 무게는 앵무새의 무게의 몇 배일까요?

식 : _____   답 : _____

✎ 알맞은 식을 쓰고 답을 구하세요.

⑦ 식혜 15.3 L가 있습니다. 식혜를 그릇 한 개에 0.9 L씩 담는다면 그릇 몇 개가 필요할까요?

식 : _____   답 : _____

⑧ 길이가 30.82 m인 끈을 0.67 m씩 모두 잘랐습니다. 자른 끈은 모두 몇 도막일까요?

식 : _____   답 : _____

하루 10분 서술형/문장제 학습지

수학 독해

정답

F1 분수와 소수
초6

사고가 자라는 수학

정답

F1 분수와 소수
초6

분수의 나눗셈(1)

P 06 ~ 07

1일 (자연수)÷(자연수)(1)

나눗셈의 몫을 분수로 나타내어 보세요.

나누어지는 수를 분자,
나누는 수를 분모!

○ $2 \div 3 = \dfrac{2}{3}$

$7 \div 2 = \dfrac{7}{2} = 3\dfrac{1}{2}$

① $1 \div 4 = \dfrac{1}{4}$

② $3 \div 5 = \dfrac{3}{5}$

③ $4 \div 9 = \dfrac{4}{9}$

④ $8 \div 11 = \dfrac{8}{11}$

⑤ $5 \div 3 = \dfrac{5}{3} = 1\dfrac{2}{3}$

⑥ $8 \div 7 = \dfrac{8}{7} = 1\dfrac{1}{7}$

⑦ $11 \div 6 = \dfrac{11}{6} = 1\dfrac{5}{6}$

⑧ $14 \div 5 = \dfrac{14}{5} = 2\dfrac{4}{5}$

알맞은 식을 쓰고 답을 구하세요.

○ ③m의 포장 끈을 ⑤명이 똑같이 나누어 가진다면 한 사람이 가지게 될 포장 끈은 몇 m인지 분수로 나타내세요.

식 : $3 \div 5 = \dfrac{3}{5}$ 답 : $\dfrac{3}{5}$ m

① 철사 1 m를 모두 사용하여 정육각형 모양을 만들었습니다. 이 정육각형의 한 변의 길이는 몇 m인지 분수로 나타내세요.

식 : $1 \div 6 = \dfrac{1}{6}$ 답 : $\dfrac{1}{6}$ m

② 6 L의 식혜를 5일 동안 똑같이 나누어 마시려면 하루에 마셔야 할 식혜는 몇 L인지 분수로 나타내세요.

식 : $6 \div 5 = 1\dfrac{1}{5}$ 답 : $1\dfrac{1}{5}$ L

③ 넓이가 11 cm²이고 가로가 7 cm인 직사각형의 세로는 몇 cm인지 분수로 나타내세요.

식 : $11 \div 7 = 1\dfrac{4}{7}$ 답 : $1\dfrac{4}{7}$ cm

P 08 ~ 09

2일 (자연수)÷(자연수)(2)

물음에 답하세요.

분모가 다른 두 분수의
크기를 비교할 때는
통분해야 해.

○ 고구마를 심기로 한 텃밭이 더 넓은 모둠은 어느 모둠인지 써 보세요.

지수: 우리 모둠의 텃밭은 14 m²야. 감자, 상추, 고구마를 똑같은 넓이로 심기로 했어.

현희: 우리 모둠의 텃밭은 19 m²야. 딸기, 옥수수, 토마토, 고구마를 똑같은 넓이로 심기로 했어.

$14 \div 3 = \dfrac{14}{3} = 4\dfrac{2}{3} \,(m^2), \ 19 \div 4 = \dfrac{19}{4} = 4\dfrac{3}{4} \,(m^2)$

$4\dfrac{2}{3} \left(= 4\dfrac{8}{12}\right) < 4\dfrac{3}{4} \left(= 4\dfrac{9}{12}\right)$

답 : 현희네 모둠

① 장미를 심기로 한 꽃밭이 더 넓은 모둠은 어느 모둠인지 써 보세요.

지은: 우리 모둠의 꽃밭은 15 m²야. 장미, 채송화, 봉선화, 개나리를 똑같은 넓이로 심기로 했어.

미술: 우리 모둠의 텃밭은 10 m²야. 팬지, 장미, 튤립을 똑같은 넓이로 심기로 했어.

$15 \div 4 = \dfrac{15}{4} = 3\dfrac{3}{4} \,(m^2), \ 10 \div 3 = \dfrac{10}{3} = 3\dfrac{1}{3} \,(m^2)$

$3\dfrac{3}{4} \left(= 3\dfrac{9}{12}\right) > 3\dfrac{1}{3} \left(= 3\dfrac{4}{12}\right)$

답 : 지은이네 모둠

② 파란색을 칠한 부분이 더 넓은 사람은 누구인지 써 보세요.

미우: 내 도화지의 넓이는 23 cm²야. 노란색, 주황색, 파란색, 초록색을 똑같은 넓이로 색칠하기로 했어.

은경: 내 도화지의 넓이는 29 cm²야. 빨간색, 파란색, 갈색, 보라색, 분홍색을 똑같은 넓이로 색칠하기로 했어.

$23 \div 4 = \dfrac{23}{4} = 5\dfrac{3}{4} \,(cm^2), \ 29 \div 5 = \dfrac{29}{5} = 5\dfrac{4}{5} \,(cm^2)$

$5\dfrac{3}{4} \left(= 5\dfrac{15}{20}\right) < 5\dfrac{4}{5} \left(= 5\dfrac{16}{20}\right)$

답 : 은경

알맞은 식을 쓰고 답을 구하세요.

○ 한 병에 $\dfrac{4}{3}$ L씩 들어 있는 우유가 ③병 있습니다. 이 우유를 ⑤일 동안 똑같이 나누어 마신다면 하루에 몇 L씩 마실 수 있을까요?

식 : $\dfrac{4}{3} \times 3 = 4, \ 4 \div 5 = \dfrac{4}{5}$ 답 : $\dfrac{4}{5}$ L

① 한 상자에 $\dfrac{5}{6}$ kg씩 들어 있는 샤인머스켓 6상자를 8일 동안 똑같이 나누어 먹는다면 하루에 몇 kg씩 먹을 수 있을까요?

식 : $\dfrac{5}{6} \times 6 = 5, \ 5 \div 8 = \dfrac{5}{8}$ 답 : $\dfrac{5}{8}$ kg

② 한 병에 $\dfrac{5}{7}$ L씩 들어 있는 주스가 14병 있습니다. 이 주스를 3명의 친구에게 똑같이 나누어 준다면 한 사람에게 몇 L씩 줄 수 있을까요?

식 : $\dfrac{5}{7} \times 14 = 10, \ 10 \div 3 = 3\dfrac{1}{3}$ 답 : $3\dfrac{1}{3}$ L

③ 한 상자에 $\dfrac{11}{9}$ kg씩 들어 있는 자두 9상자를 일주일 동안 똑같이 나누어 먹는다면 하루에 몇 kg씩 먹을 수 있을까요?

식 : $\dfrac{11}{9} \times 9 = 11, \ 11 \div 7 = 1\dfrac{4}{7}$ 답 : $1\dfrac{4}{7}$ kg

P 10 ~ 11

3일 (분수)÷(자연수) (1)

(분수)÷(자연수)를
곱셈으로 바꾸면
(분수)× $\frac{1}{(자연수)}$

🐝 2가지 방법으로 계산해 보세요.

○ 방법1 $\frac{4}{7} \div 3 = \frac{4 \times \boxed{3}}{7 \times 3} = \frac{\boxed{12} \div 3}{21} = \frac{\boxed{4}}{\boxed{21}}$

방법2 $\frac{4}{7} \div 3 = \frac{4}{7} \times \frac{1}{\boxed{3}} = \frac{\boxed{4}}{21}$

① 방법1 $\frac{6}{11} \div 2 = \frac{\boxed{6} \div 2}{11} = \frac{\boxed{3}}{11}$

방법2 $\frac{6}{11} \div 2 = \frac{6}{11} \times \frac{1}{\boxed{2}} = \frac{\boxed{3}}{11}$

② 방법1 $\frac{7}{13} \div 5 = \frac{7 \times \boxed{5}}{13 \times 5} = \frac{\boxed{35} \div 5}{65} = \frac{\boxed{7}}{\boxed{65}}$

방법2 $\frac{7}{13} \div 5 = \frac{7}{13} \times \frac{1}{\boxed{5}} = \frac{\boxed{7}}{65}$

③ 방법1 $\frac{14}{9} \div 3 = \frac{14 \times \boxed{3}}{9 \times 3} = \frac{\boxed{42} \div 3}{27} = \frac{\boxed{14}}{\boxed{27}}$

방법2 $\frac{14}{9} \div 3 = \frac{14}{9} \times \frac{1}{\boxed{3}} = \frac{\boxed{14}}{27}$

🐝 알맞은 식을 쓰고 답을 구하세요.

○ 넓이가 $\frac{3}{4}$ m²인 종이를 잘라 4명에게 똑같이 나누어 주려고 합니다. 한 사람이 가질 수 있는 종이의 넓이는 몇 m²일까요?

식 : $\frac{3}{4} \div 4 = \frac{3}{16}$ 답 : $\frac{3}{16}$ m²

① 사과잼 $\frac{5}{7}$ kg을 6명에게 똑같이 나누어 주려고 합니다. 한 사람이 가질 수 있는 사과잼은 몇 kg일까요?

식 : $\frac{5}{7} \div 6 = \frac{5}{42}$ 답 : $\frac{5}{42}$ kg

② 우유 $\frac{12}{17}$ L를 크기가 같은 컵 8개에 똑같이 나누어 담았습니다. 컵 한 개에 담은 우유는 몇 L일까요?

식 : $\frac{12}{17} \div 8 = \frac{3}{34}$ 답 : $\frac{3}{34}$ L

③ 길이가 $\frac{14}{9}$ m인 철사를 남김없이 모두 사용하여 정오각형 한 개를 만들었습니다. 만든 정오각형의 한 변의 길이는 몇 m일까요?

식 : $\frac{14}{9} \div 5 = \frac{14}{45}$ 답 : $\frac{14}{45}$ m

P 12 ~ 13

4일 (대분수)÷(자연수)

대분수를 가분수로
바꾼 후 계산해.

🐝 2가지 방법으로 계산해 보세요.

○ 방법1 $1\frac{2}{5} \div 3 = \frac{\boxed{7}}{5} \div 3 = \frac{7 \times \boxed{3}}{5 \times 3} = \frac{\boxed{21} \div 3}{15} = \frac{\boxed{7}}{15}$

방법2 $1\frac{2}{5} \div 3 = \frac{\boxed{7}}{5} \times \frac{1}{\boxed{3}} = \frac{\boxed{7}}{15}$

① 방법1 $2\frac{2}{3} \div 4 = \frac{\boxed{8}}{3} \div 4 = \frac{\boxed{8} \div 4}{3} = \frac{\boxed{2}}{3}$

방법2 $2\frac{2}{3} \div 4 = \frac{\boxed{8}}{3} \times \frac{1}{\boxed{4}} = \frac{\boxed{2}}{3}$

② 방법1 $2\frac{5}{6} \div 5 = \frac{\boxed{17}}{6} \div 5 = \frac{17 \times \boxed{5}}{6 \times 5} \div 5 = \frac{\boxed{85} \div 5}{30} = \frac{\boxed{17}}{\boxed{30}}$

방법2 $2\frac{5}{6} \div 5 = \frac{\boxed{17}}{6} \times \frac{1}{\boxed{5}} = \frac{\boxed{17}}{30}$

③ 방법1 $3\frac{3}{8} \div 2 = \frac{\boxed{27}}{8} \div 2 = \frac{27 \times \boxed{2}}{8 \times 2} \div 2 = \frac{\boxed{54} \div 2}{16} = \frac{\boxed{27}}{16} = 1\frac{\boxed{11}}{16}$

방법2 $3\frac{3}{8} \div 2 = \frac{\boxed{27}}{8} \times \frac{1}{\boxed{2}} = \frac{\boxed{27}}{16} = 1\frac{\boxed{11}}{16}$

🐝 알맞은 식을 쓰고 답을 구하세요.

○ 페인트 4통으로 벽면 $3\frac{4}{5}$ m²를 칠했습니다. 페인트 한 통으로 칠한 벽면의 넓이는 몇 m²일까요?

식 : $3\frac{4}{5} \div 4 = \frac{19}{20}$ 답 : $\frac{19}{20}$ m²

① 소금 $2\frac{1}{4}$ kg을 3봉지에 똑같이 나누어 담으려면 한 봉지에 몇 kg씩 담아야 할까요?

식 : $2\frac{1}{4} \div 3 = \frac{3}{4}$ 답 : $\frac{3}{4}$ kg

② 주현이는 주스 $5\frac{4}{9}$ L를 일주일 동안 똑같이 나누어 마셨습니다. 하루에 몇 L씩 마셨을까요?

식 : $5\frac{4}{9} \div 7 = \frac{7}{9}$ 답 : $\frac{7}{9}$ L

③ 넓이가 $8\frac{2}{5}$ cm²이고 밑변의 길이가 3 cm인 평행사변형이 있습니다. 이 평행사변형의 높이는 몇 cm일까요?

식 : $8\frac{2}{5} \div 3 = 2\frac{4}{5}$ 답 : $2\frac{4}{5}$ cm

P 14 ~ 15

5일 (분수)÷(자연수)(2)

> 두 분수의 분모가 같다면 분자가 큰 수가 더 커.

❀ 다음 물음에 답하세요.

◦ 수 카드 3장을 모두 사용하여 계산 결과가 가장 작은 나눗셈식을 두 가지 만들고 계산해 보세요.

$\boxed{2}$, $\boxed{5}$, $\boxed{7}$ $\dfrac{2}{5}÷7$ 또는 $\dfrac{2}{7}÷5$

답 : $\dfrac{2}{35}$

① 수 카드 3장을 모두 사용하여 계산 결과가 가장 큰 나눗셈식을 두 가지 만들고 계산해 보세요.

$\boxed{4}$, $\boxed{6}$, $\boxed{7}$ $\dfrac{7}{4}÷6$ 또는 $\dfrac{7}{6}÷4$

답 : $\dfrac{7}{24}$

② 수 카드 3장을 모두 사용하여 계산 결과가 가장 큰 나눗셈식을 만들고 계산해 보세요.

$\boxed{3}$, $\boxed{8}$, $\boxed{9}$ $9\dfrac{3}{8}÷5$

답 : $1\dfrac{7}{8}$

❀ 다음 물음에 답하세요.

◦ ☐ 안에 들어갈 수 있는 자연수를 모두 써 보세요.

$\dfrac{\boxed{}}{12} < 1\dfrac{2}{3}÷4$

답 : 1, 2, 3, 4

$1\dfrac{2}{3}÷4 = \dfrac{5}{3} × \dfrac{1}{4} = \dfrac{5}{12}$ 이므로 $\dfrac{\boxed{}}{12} < \dfrac{5}{12}$
따라서 ☐ < 5입니다.

① ☐ 안에 들어갈 수 있는 자연수를 모두 써 보세요.

$\dfrac{\boxed{}}{17} < \dfrac{14}{17}÷2$

답 : 1, 2, 3, 4, 5, 6

$\dfrac{14}{17}÷2 = \dfrac{14}{17} × \dfrac{1}{2} = \dfrac{7}{17}$ 이므로 $\dfrac{\boxed{}}{17} < \dfrac{7}{17}$
따라서 ☐ < 7입니다.

② ☐ 안에 들어갈 수 있는 한 자리 자연수는 모두 몇 개인지 구해 보세요.

$2\dfrac{1}{2}÷9 < \dfrac{5}{\boxed{}}{18}$

답 : 4개

$2\dfrac{1}{2}÷9 = \dfrac{5}{2} × \dfrac{1}{9} = \dfrac{5}{18}$ 이므로 $\dfrac{5}{18} < \dfrac{\boxed{}}{18}$
따라서 ☐ > 5입니다.

③ ☐ 안에 들어갈 수 있는 자연수 중 가장 큰 수를 구해 보세요.

$\dfrac{\boxed{}}{8} < 3\dfrac{1}{8}÷5$

답 : 4

$3\dfrac{1}{8}÷5 = \dfrac{25}{8} × \dfrac{1}{5} = \dfrac{5}{8}$ 이므로 $\dfrac{\boxed{}}{8} < \dfrac{5}{8}$
따라서 ☐ < 5입니다.

P 16 ~ 17

확인학습

✎ 알맞은 식을 쓰고 답을 구하세요.

① 5 m의 리본을 7명이 똑같이 나누어 가진다면 한 사람이 가지게 될 리본은 몇 m인지 분수로 나타내세요.

식 : $5÷7 = \dfrac{5}{7}$ 답 : $\dfrac{5}{7}$ m

② 8 L의 우유를 3일 동안 똑같이 나누어 마시려면 하루에 마셔야 할 우유는 몇 L인지 분수로 나타내세요.

식 : $8÷3 = 2\dfrac{2}{3}$ 답 : $2\dfrac{2}{3}$ L

③ 한 상자에 $\dfrac{4}{5}$ kg씩 들어 있는 딸기 5상자를 9일 동안 똑같이 나누어 먹는다면 하루에 몇 kg씩 먹을 수 있을까요?

식 : $\dfrac{4}{5} × 5 = 4, 4÷9 = \dfrac{4}{9}$ 답 : $\dfrac{4}{9}$ kg

④ 한 병에 $\dfrac{11}{6}$ L씩 들어 있는 주스가 12병 있습니다. 이 주스를 13명의 친구에게 똑같이 나누어 준다면 한 사람에게 몇 L씩 줄 수 있을까요?

식 : $\dfrac{11}{6} × 12 = 22, 22÷13 = 1\dfrac{9}{13}$ 답 : $1\dfrac{9}{13}$ L

✎ 알맞은 식을 쓰고 답을 구하세요.

⑤ 넓이가 $\dfrac{3}{4}$ m²인 종이를 잘라 7명에게 똑같이 나누어 주려고 합니다. 한 사람이 가질 수 있는 종이의 넓이는 몇 m²일까요?

식 : $\dfrac{3}{4}÷7 = \dfrac{3}{28}$ 답 : $\dfrac{3}{28}$ m²

⑥ 찰흙 $\dfrac{6}{7}$ kg을 3명에게 똑같이 나누어 주려고 합니다. 한 사람이 가질 수 있는 찰흙은 몇 kg일까요?

식 : $\dfrac{6}{7}÷3 = \dfrac{2}{7}$ 답 : $\dfrac{2}{7}$ kg

⑦ 설탕 $1\dfrac{4}{5}$ kg을 3봉지에 똑같이 나누어 담으려면 한 봉지에 몇 kg씩 담아야 할까요?

식 : $1\dfrac{4}{5}÷3 = \dfrac{3}{5}$ 답 : $\dfrac{3}{5}$ kg

⑧ 넓이가 $6\dfrac{3}{4}$ cm²이고 가로가 6 cm인 직사각형이 있습니다. 이 직사각형의 세로는 몇 cm일까요?

식 : $6\dfrac{3}{4}÷6 = 1\dfrac{1}{8}$ 답 : $1\dfrac{1}{8}$ cm

P 18

확인학습

✎ 다음 물음에 답하세요.

⑨ 수 카드 3장을 모두 사용하여 계산 결과가 가장 작은 나눗셈식을 두 가지 만들고 계산해 보세요.

3 . 7 . 8

$\dfrac{3}{7} \div 8$ 또는 $\dfrac{3}{8} \div 7$

답 : $\dfrac{3}{56}$

⑩ 수 카드 3장을 모두 사용하여 계산 결과가 가장 큰 나눗셈식을 만들고 계산해 보세요.

2 . 5 . 6

$6\dfrac{2}{5} \div 8$

답 : $\dfrac{4}{5}$

✎ 다음 물음에 답하세요.

⑪ □ 안에 들어갈 수 있는 자연수를 모두 써 보세요.

$\dfrac{\square}{15} < 1\dfrac{2}{5} \div 3$

답 : **1, 2, 3, 4, 5, 6**

$1\dfrac{2}{5} \div 3 = \dfrac{7}{5} \times \dfrac{1}{3} = \dfrac{7}{15}$ 이므로 $\dfrac{\square}{15} < \dfrac{7}{15}$

따라서 □ < 7입니다.

P 20 ~ 21

1일 (소수)÷(자연수)(1)

나누는 수가 같고
나누어지는 수가
$\frac{1}{10}$배가 되면
몫도 $\frac{1}{10}$배가 돼

❀ 자연수의 나눗셈을 이용하여 소수의 나눗셈을 계산해 보세요.

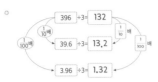

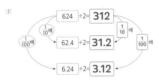

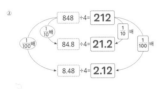

❀ 알맞은 풀이를 쓰고 답을 구하세요.

끈 82.4 cm를 두 사람에게 똑같이 나누어 주려고 합니다. 한 명에게 줄 수 있는 끈은 몇 cm일까요?

풀이 : 1 cm = 10 mm이므로 82.4 cm = 824 mm
824 ÷ 2 = 412
한 명에게 줄 수 있는 끈은 412 mm이므로
41.2 cm입니다.
답 : 41.2 cm

① 리본 96.3 cm를 세 사람에게 똑같이 나누어 주려고 합니다. 한 명에게 줄 수 있는 리본은 몇 cm일까요?

풀이 : 1 cm = 10 mm이므로 96.3 cm = 963 mm
963÷3=321
한 명에게 줄 수 있는 끈은 321 mm이므로
32.1 cm입니다.
답 : 32.1 cm

② 빗줄 4.88 m를 네 사람에게 똑같이 나누어 주려고 합니다. 한 명에게 줄 수 있는 빗줄은 몇 m일까요?

풀이 : 1 m = 100 cm이므로 4.88 m = 488 cm
488÷4=122
한 명에게 줄 수 있는 빗줄은 122 cm이므로
1.22 m입니다.
답 : 1.22 m

P 22 ~ 23

2일 (소수)÷(자연수)(2)

소수점만 주의하면
자연수의 나눗셈과 같은
방법으로 하면 돼

❀ 계산해 보세요.

❀ 알맞은 식을 쓰고 답을 구하세요.

주스 8.82 L를 병 6개에 똑같이 나누어 담으려고 합니다. 병 한 개에 담아야 할 주스는 몇 L일까요?

식 : 8.82÷6=1.47   답 : 1.47 L

① 둘레가 7.75 cm인 정오각형의 한 변의 길이는 몇 cm일까요?

식 : 7.75÷5=1.55   답 : 1.55 cm

② 슬기네 가게의 사과 4개의 무게의 합이 1.84 kg일 때, 사과 1개의 무게의 평균은 몇 kg일까요?

식 : 1.84÷4=0.46   답 : 0.46 kg

③ 과수원에서 딴 체리 0.96 kg을 6명에게 똑같이 나누어 주려고 합니다. 한 명에게 나누어 줄 수 있는 체리는 몇 kg일까요?

식 : 0.96÷6=0.16   답 : 0.16 kg

P 24 ~ 25

3일 (소수)÷(자연수) (3)

분수로 바꿔 계산해도
되지만 세로셈에 익숙
해지는 것이 좋아.

🐝 계산해 보세요.

```
    0.7 5
6 ) 4.5 0
    4 2
      3 0    예상이 맞나지 않으면
      3 0    아을 다시 더 나눠 계산
        0    합니다.
```

```
    1.0 7
5 ) 5.3 5    수를 하나 더씩은 나눠
      5      어야 할 수가 나누는 수
      3 5    보다 작은 값이므로 몫
      3 5    에 0을 쓰고 수를 하나
        0    더 내려 계산합니다.
```

①
```
    0.7 2
5 ) 3.6 0
    3 5
      1 0
      1 0
        0
```

②
```
    2.1 5
4 ) 8.6 0
    8
      6
      4
      2 0
      2 0
        0
```

③
```
    1.2 5
6 ) 7.5 0
    6
      1 5
      1 2
        3 0
        3 0
          0
```

④
```
    1.0 4
7 ) 7.2 8
    7
      2 8
      2 8
        0
```

⑤
```
    1.0 2
5 ) 5.1 0
    5
      1 0
      1 0
        0
```

⑥
```
    6.0 5
4 ) 2 4.2 0
    2 4
        2 0
        2 0
          0
```

🐝 알맞은 식을 쓰고 답을 구하세요.

○ 준희네 가족은 귤 따기 체험에서 귤 8.5 kg을 땄습니다. 딴 귤을 2상자에 똑같이 나누어 담는다면 한 상자에 담아야 할 귤은 몇 kg일까요?

식 : 8.5÷2=4.25   답 : 4.25 kg

① 세로가 4 cm이고 넓이가 7.8 cm²인 직사각형의 가로는 몇 cm일까요?

식 : 7.8÷4=1.95   답 : 1.95 cm

② 물 30.3 L를 어항 6개에 똑같이 나누어 담았습니다. 어항 한 개에 담은 물은 몇 L일까요?

식 : 30.3÷6=5.05   답 : 5.05 L

③ 철사 5.2 m를 8명이 똑같이 나누어 가지려고 합니다. 한 명이 가질 수 있는 철사는 몇 m일까요?

식 : 5.2÷8=0.65   답 : 0.65 m

P 26 ~ 27

4일 (자연수)÷(자연수)

더 이상 계산할 수
없을 때까지 내림을 하고,
내릴 수가 없는 경우 0을
내려 계산해.

🐝 계산해 보세요.

```
    0.7 5
4 ) 3.0 0
    2 8
      2 0
      2 0
        0
```

①
```
    1.6
5 ) 8.0
    5
    3 0
    3 0
      0
```

②
```
    3.5
6 ) 2 1.0
    1 8
      3 0
      3 0
        0
```

③
```
    2.5
16 ) 4 0.0
     3 2
       8 0
       8 0
         0
```

④
```
    4.7 5
12 ) 5 7.0 0
     4 8
       9 0
       8 4
         6 0
         6 0
           0
```

⑤
```
    0.2 5
8 ) 2.0 0
    1 6
      4 0
      4 0
        0
```

⑥
```
    0.6
15 ) 9.0
     9 0
       0
```

⑦
```
    0.6 4
25 ) 1 6.0 0
     1 5 0
       1 0 0
       1 0 0
           0
```

🐝 알맞은 식을 쓰고 답을 구하세요.

○ 가로가 5 cm이고 넓이가 27 cm²인 직사각형의 세로는 몇 cm일까요?

식 : 27÷5=5.4   답 : 5.4 cm

① 철사 39 m를 똑같이 12도막으로 자르면 철사 한 도막의 길이는 몇 m일까요?

식 : 39÷12=3.25   답 : 3.25 m

② 우유 18 L를 45개의 컵에 똑같이 나누어 담았습니다. 컵 하나에 우유는 몇 L 있을까요?

식 : 18÷45=0.4   답 : 0.4 L

③ 참외 60개의 무게가 33 kg일 때, 참외 한 개의 무게의 평균은 몇 kg일까요?

식 : 33÷60=0.55   답 : 0.55 kg

P 28 ~ 29

5일 몫의 소수점 위치

간단한 나눗셈식이
되도록 나누어지는
수를 어림해.

❋ 어림셈하여 몫의 소수점 위치를 찾아 소수점을 찍어 보세요.

○ 32.4÷8

어림: 32 ÷ 8 ➡ 약 4

몫: 4□0□5

① 20.2÷4

어림: 20 ÷ 4 ➡ 약 5

몫: 5□0□5

② 95.7÷3

어림: 96 ÷ 3 ➡ 약 32

몫: 3□1□9

③ 35.4÷5

어림: 35 ÷ 5 ➡ 약 7

몫: 7□0□8

④ 78.4÷2

어림: 78 ÷ 2 ➡ 약 39

몫: 3□9□2

❋ 어림셈하여 몫의 소수점 위치가 올바른 식을 찾아 ○표 하세요.

○

| 10.8÷5=216 | 10.8÷5=21.6 |
| (10.8÷5=2.16) | 10.8÷5=0.216 |

10.8을 반올림하여 십의 자리까지 나타내면 11입니다.
나누어지는 수보다 크고 3배보다 작은 수이므로 10.8÷5는 몫이 ... 됩니다.

①

| 24.92÷4=623 | 24.92÷4=62.3 |
| (24.92÷4=6.23) | 24.92÷4=0.623 |

24.92를 반올림하여 일의 자리까지 나타내면 25입니다.
25÷4의 몫은 6보다 크고 7보다 작은 수이므로
24.92÷4=6.23이 답이 됩니다.

②

| 61.8÷3=206 | (61.8÷3=20.6) |
| 61.8÷3=2.06 | 61.8÷3=0.206 |

61.8을 반올림하여 일의 자리까지 나타내면 62입니다.
62÷3의 몫은 20보다 크고 21보다 작은 수이므로
61.8÷3=20.6이 답이 됩니다.

③

| 3.56÷4=890 | 3.56÷4=89 |
| 3.56÷4=8.9 | (3.56÷4=0.89) |

나누어지는 수가 나누는 수보다 작으면 몫이 1보다 작습니다.
따라서 3.56÷4=0.89가 답이 됩니다.

P 30 ~ 31

확인학습

✎ 알맞은 식을 쓰고 답을 구하세요.

① 무게가 같은 연필 6자루의 무게는 21.36 g입니다. 연필 한 자루의 무게는 몇 g일까요?

식: $21.36÷6=3.56$ 답: 3.56 g

② 둘레가 9.92 cm인 정사각형의 한 변의 길이는 몇 cm일까요?

식: $9.92÷4=2.48$ 답: 2.48 cm

③ 길이가 2.35 m인 철사를 5도막으로 똑같이 나누었을 때 철사 한 도막은 몇 m일까요?

식: $2.35÷5=0.47$ 답: 0.47 m

④ 설탕 0.84 kg을 6명에게 똑같이 나누어 주려고 합니다. 한 명에게 나누어 줄 수 있는 설탕은 몇 kg일까요?

식: $0.84÷6=0.14$ 답: 0.14 kg

✎ 알맞은 식을 쓰고 답을 구하세요.

⑤ 무게가 같은 귤 상자 5개의 무게를 재었더니 9.1 kg이었습니다. 귤 상자 한 개의 무게는 몇 kg일까요?

식: $9.1÷5=1.82$ 답: 1.82 kg

⑥ 가로가 8 cm이고 넓이가 10.8 cm²인 직사각형의 세로는 몇 cm일까요?

식: $10.8÷8=1.35$ 답: 1.35 cm

⑦ 끈 54.3 cm를 6명이 똑같이 나누어 가지려고 합니다. 한 명이 가질 수 있는 끈은 몇 cm일까요?

식: $54.3÷6=9.05$ 답: 9.05 cm

⑧ 일정한 빠르기로 8 km를 달리는 데 휘발유를 96.64 L 사용하는 자동차가 있습니다. 이 자동차가 1 km를 달리는 데 사용하는 휘발유는 몇 L일까요?

식: $96.64÷8=12.08$ 답: 12.08 L

P 32

확인학습

✎ 알맞은 식을 쓰고 답을 구하세요.

⑨ 길이가 22 cm인 오이를 똑같은 4도막으로 잘랐습니다. 오이 한 도막은 몇 cm일까요?

식 : **22÷4=5.5**   답 : **5.5** cm

⑩ 사과 48개의 무게가 12 kg일 때, 사과 한 개의 무게의 평균은 몇 kg일까요?

식 : **12÷48=0.25**   답 : **0.25** kg

✎ 어림셈하여 몫의 소수점 위치가 올바른 식을 찾아 ○표 하세요.

⑪
12.6÷5=252   12.6÷5=25.2

(12.6÷5=2.52)   12.6÷5=0.252

12.6을 반올림하여 일의 자리까지 나타내면 **13**입니다.
13÷5의 몫은 **2**보다 크고 **3**보다 작은 수이므로
12.6÷5=2.52가 답이 됩니다.

⑫
48.6÷3=162   (48.6÷3=16.2)

48.6÷3=1.62   48.6÷3=0.162

48.6을 반올림하여 일의 자리까지 나타내면 **49**입니다.
49÷3의 몫은 **16**보다 크고 **17**보다 작은 수이므로
48.6÷3=16.2가 답이 됩니다.

분수의 나눗셈(2)

1일 분모가 같은 분수의 나눗셈

분모가 같은 분수의 나눗셈은 몫은 분자끼리의 나눗셈의 몫과 같다.

❀ □안에 알맞은 수를 써넣으세요.

○ $\frac{4}{7} \div \frac{2}{7} = \boxed{4} \div \boxed{2} = \boxed{2}$

① $\frac{3}{10} \div \frac{1}{10} = \boxed{3} \div \boxed{1} = \boxed{3}$

② $\frac{2}{3} \div \frac{2}{3} = \boxed{2} \div \boxed{2} = \boxed{1}$

③ $\frac{8}{11} \div \frac{2}{11} = \boxed{8} \div \boxed{2} = \boxed{4}$

④ $\frac{5}{9} \div \frac{2}{9} = \boxed{5} \div \boxed{2} = \boxed{2\frac{1}{2}}$

⑤ $\frac{12}{13} \div \frac{7}{13} = \boxed{12} \div \boxed{7} = \boxed{1\frac{5}{7}}$

⑥ $\frac{2}{5} \div \frac{3}{5} = \boxed{2} \div \boxed{3} = \boxed{\frac{2}{3}}$

⑦ $\frac{3}{7} \div \frac{5}{7} = \boxed{3} \div \boxed{5} = \boxed{\frac{3}{5}}$

❀ 알맞은 식을 쓰고 답을 구하세요.

○ 주스 $\frac{6}{7}$ L를 한 병에 $\frac{3}{7}$ L씩 똑같이 나누어 담으려고 합니다. 몇 개의 병에 나누어 담을 수 있을까요?

식 : $\frac{6}{7} \div \frac{3}{7} = 2$ 답 : 2병

① 상자 하나를 포장하려면 리본 $\frac{3}{14}$ m가 필요합니다. 리본 $\frac{9}{14}$ m로 똑같은 크기의 상자를 몇 상자까지 포장할 수 있을까요?

식 : $\frac{9}{14} \div \frac{3}{14} = 3$ 답 : 3상자

② 넓이가 $\frac{10}{11}$ cm² 인 평행사변형이 있습니다. 밑변의 길이가 $\frac{7}{11}$ cm일 때 높이는 몇 cm일까요?

식 : $\frac{10}{11} \div \frac{7}{11} = 1\frac{3}{7}$ 답 : $1\frac{3}{7}$ cm

③ 수민이의 가방의 무게는 $\frac{9}{13}$ kg이고, 찬수의 가방의 무게는 $\frac{11}{13}$ kg입니다. 수민이의 가방의 무게는 찬수의 가방의 무게의 몇 배일까요?

식 : $\frac{9}{13} \div \frac{11}{13} = \frac{9}{11}$ 답 : $\frac{9}{11}$ 배

2일 분모가 다른 분수의 나눗셈

두 분수를 통분한 후 분자끼리 나눠.

❀ □안에 알맞은 수를 써넣으세요.

○ $\frac{3}{5} \div \frac{3}{10} = \frac{\boxed{6}}{10} \div \frac{3}{10}$
$= \boxed{6} \div \boxed{3} = \boxed{2}$

① $\frac{2}{3} \div \frac{1}{9} = \frac{\boxed{6}}{9} \div \frac{1}{9}$
$= \boxed{6} \div \boxed{1} = \boxed{6}$

② $\frac{6}{7} \div \frac{3}{14} = \frac{\boxed{12}}{14} \div \frac{3}{14}$
$= \boxed{12} \div \boxed{3} = \boxed{4}$

③ $\frac{8}{13} \div \frac{2}{39} = \frac{\boxed{24}}{39} \div \frac{2}{39}$
$= \boxed{24} \div \boxed{2} = \boxed{12}$

④ $\frac{5}{6} \div \frac{7}{12} = \frac{\boxed{10}}{12} \div \frac{7}{12}$
$= \boxed{10} \div \boxed{7} = \boxed{1\frac{3}{7}}$

⑤ $\frac{3}{4} \div \frac{5}{11} = \frac{\boxed{33}}{44} \div \frac{20}{44}$
$= \boxed{33} \div \boxed{20} = \boxed{1\frac{13}{20}}$

⑥ $\frac{2}{5} \div \frac{7}{10} = \frac{\boxed{4}}{10} \div \frac{7}{10}$
$= \boxed{4} \div \boxed{7} = \boxed{\frac{4}{7}}$

⑦ $\frac{2}{3} \div \frac{3}{4} = \frac{\boxed{8}}{12} \div \frac{9}{12}$
$= \boxed{8} \div \boxed{9} = \boxed{\frac{8}{9}}$

❀ 알맞은 식을 쓰고 답을 구하세요.

○ 넓이가 $\frac{3}{4}$ m²인 직사각형이 있습니다. 세로가 $\frac{2}{3}$ m일 때, 가로는 몇 m일까요?

식 : $\frac{3}{4} \div \frac{2}{3} = 1\frac{1}{8}$ 답 : $1\frac{1}{8}$ m

① 설탕 $\frac{3}{5}$ kg을 한 통에 $\frac{3}{25}$ kg씩 담았습니다. 설탕을 담은 통은 모두 몇 개일까요?

식 : $\frac{3}{5} \div \frac{3}{25} = 5$ 답 : 5개

② 생일잔치에서 피자 한 판 중 원영이는 전체의 $\frac{1}{8}$ 을 먹었고, 진희는 전체의 $\frac{3}{10}$ 을 먹었습니다. 진희가 먹은 피자 양은 원영이가 먹은 피자 양의 몇 배일까요?

식 : $\frac{3}{10} \div \frac{1}{8} = 2\frac{2}{5}$ 답 : $2\frac{2}{5}$ 배

③ 연수는 $\frac{2}{7}$ km를 걸어가는 데 $\frac{1}{14}$ 시간이 걸립니다. 연수가 같은 빠르기로 걷는다면 1시간 동안 갈 수 있는 거리는 몇 km일까요?

식 : $\frac{2}{7} \div \frac{1}{14} = 4$ 답 : 4 km

P 38 ~ 39

3일 (자연수)÷(분수)

🐝 □안에 알맞은 수를 써넣으세요.

◦ $6 \div \frac{3}{5} = (6 \div \boxed{3}) \times \boxed{5} = \boxed{10}$

① $4 \div \frac{4}{7} = (4 \div \boxed{4}) \times \boxed{7} = \boxed{7}$

② $12 \div \frac{4}{9} = (12 \div \boxed{4}) \times \boxed{9} = \boxed{27}$

③ $15 \div \frac{5}{8} = (15 \div \boxed{5}) \times \boxed{8} = \boxed{24}$

④ $10 \div \frac{5}{6} = (10 \div \boxed{5}) \times \boxed{6} = \boxed{12}$

⑤ $35 \div \frac{7}{11} = (35 \div \boxed{7}) \times \boxed{11} = \boxed{55}$

🐝 알맞은 식을 쓰고 답을 구하세요.

◦ 길이가 12 m인 천을 $\frac{4}{9}$ m씩 잘라 리본을 만들려고 합니다. 리본은 몇 개 만들 수 있을까요?

식 : $12 \div \frac{4}{9} = 27$ 답 : 27개

① 자전거를 타고 2 km를 가는 데 $\frac{2}{5}$ 시간이 걸렸습니다. 같은 빠르기로 한 시간 동안 몇 km를 갈 수 있을까요?

식 : $2 \div \frac{2}{5} = 5$ 답 : 5 km

② 냉장고에 우유가 8 L 있습니다. 하루에 우유를 $\frac{4}{9}$ L씩 먹는다면 며칠 동안 먹을 수 있을까요?

식 : $8 \div \frac{4}{9} = 18$ 답 : 18일

③ 수박 $\frac{2}{7}$통의 무게가 2 kg입니다. 수박 1통의 무게는 몇 kg일까요?

식 : $2 \div \frac{2}{7} = 7$ 답 : 7 kg

P 40 ~ 41

4일 곱셈을 이용한 분수의 나눗셈(1)

🐝 □안에 알맞은 수를 써넣으세요.

◦ $\frac{8}{11} \div \frac{4}{7} = \frac{\overset{2}{\cancel{8}}}{11} \times \frac{7}{\underset{1}{\cancel{4}}} = \frac{14}{11} = 1\frac{3}{11}$

① $\frac{2}{3} \div \frac{5}{7} = \frac{2}{3} \times \frac{7}{5} = \frac{14}{15}$

② $\frac{3}{4} \div \frac{9}{13} = \frac{\overset{1}{\cancel{3}}}{4} \times \frac{13}{\underset{3}{\cancel{9}}} = \frac{13}{12} = 1\frac{1}{12}$

③ $\frac{3}{14} \div \frac{7}{10} = \frac{3}{\underset{7}{\cancel{14}}} \times \frac{\overset{5}{\cancel{10}}}{7} = \frac{15}{49}$

④ $\frac{7}{15} \div \frac{5}{18} = \frac{7}{\underset{5}{\cancel{15}}} \times \frac{\overset{6}{\cancel{18}}}{5} = \frac{42}{25} = 1\frac{17}{25}$

⑤ $\frac{9}{26} \div \frac{8}{13} = \frac{9}{\underset{2}{\cancel{26}}} \times \frac{\overset{1}{\cancel{13}}}{8} = \frac{9}{16}$

🐝 알맞은 식을 쓰고 답을 구하세요.

◦ 위인전의 무게는 $\frac{3}{4}$ kg이고, 동화책의 무게는 $\frac{2}{7}$ kg입니다. 위인전 무게는 동화책 무게의 몇 배일까요?

식 : $\frac{3}{4} \div \frac{2}{7} = 2\frac{5}{8}$ 답 : $2\frac{5}{8}$배

① 무게가 $\frac{3}{7}$ kg인 호스 $\frac{9}{13}$ m가 있습니다. 이 호스 1 m의 무게는 몇 kg일까요?

식 : $\frac{3}{7} \div \frac{9}{13} = \frac{13}{21}$ 답 : $\frac{13}{21}$ kg

② 설탕 $\frac{6}{7}$ kg을 빈 통에 담아 보니 통의 $\frac{4}{5}$가 채워졌습니다. 한 통을 가득 채울 수 있는 설탕의 양은 몇 kg일까요?

식 : $\frac{6}{7} \div \frac{4}{5} = 1\frac{1}{14}$ 답 : $1\frac{1}{14}$ kg

③ $\frac{3}{5}$ km를 걸어가는 데 $\frac{3}{8}$ 시간이 걸립니다. 같은 빠르기로 1시간 동안 걸을 수 있는 거리는 몇 km일까요?

식 : $\frac{3}{5} \div \frac{3}{8} = 1\frac{3}{5}$ 답 : $1\frac{3}{5}$ km

P 42 ~ 43

5일 곱셈을 이용한 분수의 나눗셈(2)

대분수가 있으면
가분수로 바꾼 후
계산해.

❋ □안에 알맞은 수를 써넣으세요.

○ $5\frac{1}{2} \div 3\frac{3}{4} = \frac{11}{\boxed{2}} \times \frac{\boxed{2}}{\boxed{4}}_{\boxed{3}} = \frac{22}{3} = 7\frac{\boxed{1}}{3}$

① $8 \div \frac{12}{13} = 8 \times \frac{13}{\boxed{12}_{\boxed{3}}}^{\boxed{2}} = \frac{\boxed{26}}{3} = 8\frac{\boxed{2}}{3}$

② $\frac{12}{5} \div \frac{3}{4} = \frac{12}{5} \times \frac{\boxed{4}}{\boxed{3}_{\boxed{1}}}^{\boxed{4}} = \frac{\boxed{16}}{5} = 3\frac{\boxed{1}}{5}$

③ $\frac{25}{6} \div \frac{10}{11} = \frac{25}{6} \times \frac{\boxed{11}}{\boxed{10}}^{\boxed{5}} = \frac{\boxed{55}}{12} = 4\frac{\boxed{7}}{12}$

④ $1\frac{3}{7} \div \frac{5}{6} = \frac{\boxed{2}}{7} \times \frac{\boxed{6}}{\boxed{5}}_{\boxed{1}} = \frac{\boxed{12}}{7} = 1\frac{\boxed{5}}{7}$

⑤ $2\frac{7}{10} \div \frac{2}{5} = \frac{27}{\boxed{10}}^{\boxed{2}} \times \frac{\boxed{1}}{\boxed{2}}^{\boxed{5}} = \frac{27}{4} = 6\frac{\boxed{3}}{4}$

❋ 알맞은 식을 쓰고 답을 구하세요.

○ 붕어빵 한 개를 만드는 데 밀가루 $\frac{5}{8}$컵이 필요합니다. 밀가루 $8\frac{3}{4}$컵으로 만들 수 있는 붕어빵은 몇 개일까요?

식 : $8\frac{3}{4} \div \frac{5}{8} = 14$
답 : 14개

① 우유 $\frac{16}{7}$ L를 병 한 개에 $\frac{4}{7}$ L씩 나누어 담으려고 합니다. 병은 몇 개 필요할까요?

식 : $\frac{16}{7} \div \frac{4}{7} = 4$
답 : 4개

② 경유 $\frac{5}{11}$ L로 $\frac{25}{9}$ km를 가는 트럭이 있습니다. 이 트럭은 경유 1 L로 몇 km를 갈 수 있을까요?

식 : $\frac{25}{9} \div \frac{5}{11} = 6\frac{1}{9}$
답 : $6\frac{1}{9}$ km

③ 보조배터리의 $\frac{5}{6}$를 충전하면 스마트폰을 $4\frac{4}{9}$시간 동안 사용할 수 있다고 합니다. 보조배터리를 모두 충전했을 때 스마트폰을 몇 시간을 사용할 수 있을까요?

식 : $4\frac{4}{9} \div \frac{5}{6} = 5\frac{1}{3}$
답 : $5\frac{1}{3}$ 시간

P 44 ~ 45

확인학습

✎ 알맞은 식을 쓰고 답을 구하세요.

① 어떤 물건을 1개 만드는 데 철사 $\frac{2}{13}$ m가 필요합니다. 철사 $\frac{8}{13}$ m로 물건을 몇 개 만들 수 있을까요?

식 : $\frac{8}{13} \div \frac{2}{13} = 4$
답 : 4개

② 재활용품을 찬수는 $\frac{5}{8}$ kg, 주미는 $\frac{3}{8}$ kg 모았습니다. 찬수가 모은 재활용품은 주미가 모은 재활용품의 몇 배일까요?

식 : $\frac{5}{8} \div \frac{3}{8} = 1\frac{2}{3}$
답 : $1\frac{2}{3}$ 배

③ 넓이가 $\frac{7}{8}$ m²인 직사각형이 있습니다. 가로가 $\frac{5}{6}$ m일 때, 세로는 몇 m일까요?

식 : $\frac{7}{8} \div \frac{5}{6} = 1\frac{1}{20}$
답 : $1\frac{1}{20}$ m

④ 범수는 $\frac{3}{7}$ km를 걸어가는 데 $\frac{9}{14}$시간 걸립니다. 범수가 같은 빠르기로 걷는다면 1시간 동안 갈 수 있는 거리는 몇 km일까요?

식 : $\frac{3}{7} \div \frac{9}{14} = \frac{2}{3}$
답 : $\frac{2}{3}$ km

✎ 알맞은 식을 쓰고 답을 구하세요.

⑤ 길이가 8 m인 리본을 $\frac{2}{3}$ m씩 잘라서 친구에게 나누어 주려고 합니다. 몇 명에게 나누어 줄 수 있을까요?

식 : $8 \div \frac{2}{3} = 12$
답 : 12명

⑥ 체리 $\frac{4}{5}$ kg의 가격이 12000원입니다. 체리 1 kg의 가격은 얼마일까요?

식 : $12000 \div \frac{4}{5} = 15000$
답 : 15000원

⑦ 우유 $\frac{5}{7}$ L를 한 컵에 $\frac{5}{21}$ L씩 나누어 담으려고 합니다. 컵은 몇 개 필요할까요?

식 : $\frac{5}{7} \div \frac{5}{21} = 3$
답 : 3개

⑧ 무게가 $\frac{5}{9}$ kg인 철근 $\frac{2}{3}$ m가 있습니다. 이 철근 1 m의 무게는 몇 kg일까요?

식 : $\frac{5}{9} \div \frac{2}{3} = \frac{5}{6}$
답 : $\frac{5}{6}$ kg

P 46

확인학습

✎ 알맞은 식을 쓰고 답을 구하세요.

⑨ 포도주스 $\frac{16}{5}$ L를 병 한 개에 $\frac{8}{25}$ L씩 나누어 담으려고 합니다. 병은 몇 개 필요할까요?

식 : $\frac{16}{5} \div \frac{8}{25} = 10$ 답 : __10개__

⑩ 밑변의 길이가 $\frac{7}{9}$ m이고 넓이가 $1\frac{3}{11}$ m²인 평행사변형이 있습니다. 이 평행사변형의 높이는 몇 m일까요?

식 : $1\frac{3}{11} \div \frac{7}{9} = 1\frac{7}{11}$ 답 : __$1\frac{7}{11}$ m__

⑪ 집에서 학교까지의 거리는 $\frac{4}{5}$ km이고, 집에서 은행까지의 거리는 $2\frac{3}{5}$ km입니다. 집에서 은행까지의 거리는 집에서 학교까지의 거리의 몇 배일까요?

식 : $2\frac{3}{5} \div \frac{4}{5} = 3\frac{1}{4}$ 답 : __$3\frac{1}{4}$ 배__

⑫ 휘발유 $\frac{9}{10}$ L로 $\frac{27}{7}$ km를 가는 자동차가 있습니다. 이 자동차는 휘발유 1 L로 몇 km를 갈 수 있을까요?

식 : $\frac{27}{7} \div \frac{9}{10} = 4\frac{2}{7}$ 답 : __$4\frac{2}{7}$ km__

P 48 ~ 49

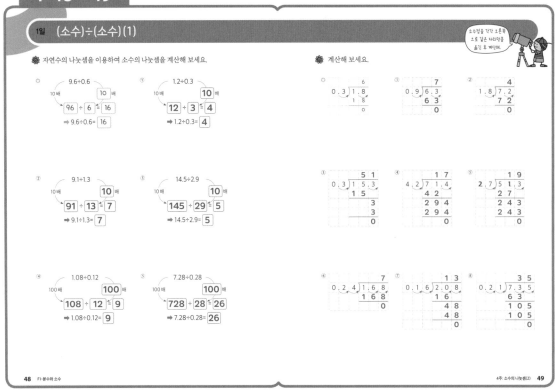

P 50 ~ 51

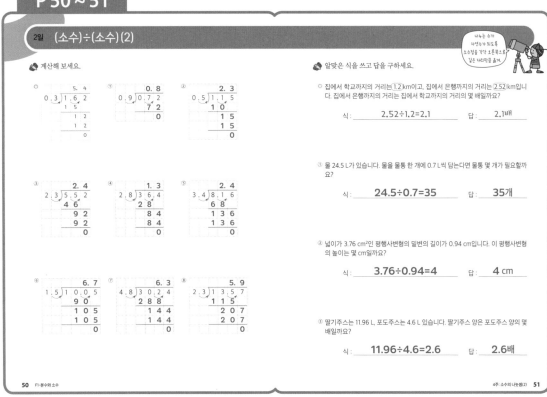

P 52 ~ 53

3일 (자연수)÷(소수)

🐝 계산해 보세요.

◦
$$0.9)54.0$$
6 0
54
0

①
$$0.3)24.0$$
8 0
24
0

②
$$4.5)18.0$$
4
18 0
0

③
$$0.4)6.0$$
1 5
4
2 0
2 0
0

④
$$1.5)63.0$$
4 2
60
3 0
3 0
0

⑤
$$3.4)85.0$$
2 5
68
1 70
1 70
0

⑥
$$1.25)5.00$$
4
5 00
0

⑦
$$0.18)81.00$$
4 50
72
9 0
9 0
0

⑧
$$2.12)53.00$$
2 5
4 24
1 060
1 060
0

🐝 알맞은 식을 쓰고 답을 구하세요.

◦ 카스테라 빵 1개를 만드는 데 설탕 ③.5 g이 필요합니다. 설탕 ②1 g으로 카스테라 빵을 몇 개 만들 수 있을까요?

식 : 21÷3.5=6   답 : 6개

① 송현이는 빨간색 리본을 90 cm, 초록색 리본을 7.5 cm 가지고 있습니다. 빨간색 리본의 길이는 초록색 리본의 길이의 몇 배일까요?

식 : 90÷7.5=12   답 : 12배

② 둘레가 345 m인 원 모양의 공원이 있습니다. 이 공원 둘레에 5.75 m 간격으로 나무를 심으려고 합니다. 필요한 나무는 모두 몇 그루일까요?

식 : 345÷5.75=60   답 : 60그루

③ 색 테이프 63 m를 3.15 m씩 잘라 리본을 만들려고 합니다. 리본을 몇 개 만들 수 있을까요?

식 : 63÷3.15=20   답 : 20개

P 54 ~ 55

4일 몫을 반올림하여 나타내기

🐝 몫을 반올림하여 소수 첫째 자리까지 나타내어 보세요.

◦
$$6)4.70$$
0.7 8
4 2
5 0
4 8
2
몫 0.8

①
$$7)2.00$$
0.2 8
1 4
6 0
5 6
0.0 4
몫 0.3

②
$$3)1.70$$
0.5 6
1 5
2 0
1 8
0.0 2
몫 0.6

③
$$7)28.90$$
4.1 2
2 8
9
7
2 0
1 4
0.0 6
몫 4.1

④
$$6)11.20$$
1.8 6
6
5 2
4 8
4 0
3 6
0.0 4
몫 1.9

⑤
$$7)12.00$$
1.7 1
7
5 0
4 9
1 0
7
0.0 3
몫 1.7

⑥
$$11)80.50$$
7.3 1
7 7
3 5
3 3
2 0
1 1
0.0 9
몫 7.3

⑦
$$12)52.00$$
4.3 3
4 8
4 0
3 6
4 0
3 6
0.0 4
몫 4.3

⑧
$$23)89.10$$
3.8 7
6 9
2 0 1
1 8 4
1 70
1 61
0.0 9
몫 3.9

🐝 알맞은 식을 쓰고 답을 구하세요.

◦ 삼촌이 캔 고구마의 무게는 ⑮5.5 kg이고, 정민이가 캔 고구마의 무게는 ⑦ kg입니다. 삼촌이 캔 고구마의 무게는 정민이가 캔 고구마의 무게의 몇 배인지 반올림하여 소수 첫째 자리까지 나타내세요.

식 : 15.5÷7=2.21……   답 : 2.2배

① 철사를 민수는 19.3 m, 효민이는 9 m를 가지고 있습니다. 민수가 가지고 있는 철사의 길이는 효민이가 가지고 있는 철사의 길이의 몇 배인지 반올림하여 소수 첫째 자리까지 나타내세요.

식 : 19.3÷9=2.14……   답 : 2.1배

② 번개가 친 곳에서 21 km 떨어진 곳에서는 번개를 본 후 1분 후에 천둥소리를 들을 수 있습니다. 번개가 친 곳으로부터 90 km 떨어진 곳에서는 번개를 본 후 몇 분 후에 천둥소리를 들을 수 있는지 반올림하여 소수 첫째 자리까지 나타내세요.

식 : 90÷21=4.28……   답 : 4.3분

③ 아버지의 몸무게는 78.4 kg이고, 민종이의 몸무게는 45 kg입니다. 아버지의 몸무게는 민종이의 몸무게의 몇 배인지 반올림하여 소수 첫째 자리까지 나타내세요.

식 : 78.4÷45=1.74……   답 : 1.7배

소수의 나눗셈(2)

4주

P 56 ~ 57

5일 나누어 주고 남는 양

몫을 자연수까지 구해야 해.

❁ 알맞은 식을 쓰고 답을 구하세요.

◇ 소금 25.2 kg을 한 봉지에 6 kg씩 나누어 담으려고 합니다. 나누어 담을 수 있는 봉지의 수와 남는 소금의 양을 구해 보세요.

```
       4
   6) 2 5 . 2
      2 4
      1 . 2
```

나누어 줄 수 있는 봉지의 수 : __4__ 개

남는 소금의 양 : __1.2__ kg

① 토마토 17.6 kg을 한 사람에게 3 kg씩 나누어 줄 때 나누어 줄 수 있는 사람의 수와 남는 토마토의 양을 구해 보세요.

```
       5
   3) 1 7 . 6
      1 5
      2 . 6
```

나누어 줄 수 있는 사람의 수 : __5__ 명

남는 토마토의 양 : __2.6__ kg

② 끈 25.9 m를 한 사람에게 7 m씩 나누어 줄 때 나누어 줄 수 있는 사람의 수와 남는 끈의 길이를 구해 보세요.

```
       3
   7) 2 5 . 9
      2 1
      4 . 9
```

나누어 줄 수 있는 사람의 수 : __3__ 명

남는 끈의 길이 : __4.9__ m

❁ 알맞은 식을 쓰고 답을 구하세요.

◇ 쌀 26.9 kg을 한 봉지에 5 kg씩 나누어 담으려고 합니다. 쌀을 남김없이 모두 나누어 담으려면 봉지는 최소 몇 개 필요한지 구해 보세요.

```
       5
   5) 2 6 . 9
      2 5
      1 . 9
```

답 : __6개__

남는 쌀 1.9 kg도 봉지에 담아야 하므로 필요한 봉지는 5+1=6(개)입니다.

① 물 13.4 L를 한 통에 2 L씩 나누어 담으려고 합니다. 물을 남김없이 모두 담으려면 물통은 최소 몇 개 필요한지 구해 보세요.

```
       6
   2) 1 3 . 4
      1 2
      1 . 4
```

답 : __7개__

남는 물 1.4 L도 1통에 담아야 하므로 필요한 물통은 6+1=7(개)입니다.

② 보리 120.4 kg을 한 자루에 9 kg씩 나누어 담으려고 합니다. 보리를 남김없이 모두 담으려면 자루는 최소 몇 개 필요한지 구해 보세요.

```
        1 3
   9) 1 2 0 . 4
      9
      3 0
      2 7
      3 . 4
```

답 : __14개__

남는 보리 3.4 kg도 1자루에 담아야 하므로 필요한 자루는 13+1=14(개)입니다.

56 F1-분수와 소수

P 58 ~ 59

확인학습

✎ 알맞은 식을 쓰고 답을 구하세요.

① 우유 1.6 L를 한 컵에 0.4 L씩 모두 나누어 담는다면 컵 몇 개가 필요할까요?

식 : __1.6÷0.4=4__   답 : __4개__

② 상자 한 개를 포장하는 데 리본 0.6 m가 필요합니다. 리본 16.8 m로 상자를 몇 개 포장할 수 있을까요?

식 : __16.8÷0.6=28__   답 : __28개__

③ 넓이가 2.61 cm²인 직사각형의 가로가 0.87 cm입니다. 이 직사각형의 세로는 몇 cm일까요?

식 : __2.61÷0.87=3__   답 : __3 cm__

④ 집에서 시청까지의 거리는 33.12 km입니다. 자동차를 타고 집에서 출발하여 1분에 1.38 km를 가는 빠르기로 간다면 몇 분이 걸릴까요?

식 : __33.12÷1.38=24__   답 : __24분__

✎ 알맞은 식을 쓰고 답을 구하세요.

⑤ 지훈이네 집에서 키우는 강아지의 무게는 6.72 kg이고, 고양이의 무게는 4.2 kg입니다. 강아지의 무게는 고양이의 무게의 몇 배일까요?

식 : __6.72÷4.2=1.6__   답 : __1.6배__

⑥ 영지는 자전거를 타고 2.8시간 동안 24.92 km를 갔습니다. 영지가 일정한 빠르기로 갔다면 1시간 동안 간 거리는 몇 km일까요?

식 : __24.92÷2.8=8.9__   답 : __8.9 km__

⑦ 빵 1개를 만드는 데 설탕 7.5 g이 필요합니다. 설탕 195 g으로 빵을 몇 개 만들 수 있을까요?

식 : __195÷7.5=26__   답 : __26개__

⑧ 길이가 140 cm인 가래떡을 5.6 cm씩 잘랐습니다. 자른 가래떡은 모두 몇 도막일까요?

식 : __140÷5.6=25__   답 : __25도막__

58 F1-분수와 소수

P 60

확인학습

◆ 알맞은 식을 쓰고 답을 구하세요.

⑨ 정수가 캔 감자의 무게는 13.6 kg이고, 기석이가 캔 감자의 무게는 9 kg입니다. 정수가 캔 감자의 무게는 기석이가 캔 감자의 무게의 몇 배인지 반올림하여 소수 첫째 자리까지 나타내세요.

식 : __13.6÷9=1.51……__   답 : __1.5배__

⑩ 길이가 3 m인 막대기의 무게는 8 kg입니다. 이 막대기의 굵기가 일정하다면 막대기 1 m의 무게는 몇 kg인지 반올림하여 소수 첫째 자리까지 나타내세요.

식 : __8÷3=2.66……__   답 : __2.7 kg__

◆ 알맞은 식을 쓰고 답을 구하세요.

⑪ 설탕 10.6 kg을 한 봉지에 2 kg씩 나누어 담으려고 합니다. 나누어 담을 수 있는 봉지의 수와 남는 설탕의 양을 구해 보세요.

```
    5
2)1 0.6
  1 0
    0.6
```

나누어 줄 수 있는 봉지의 수 : __5__ 개

남는 설탕의 양 : __0.6__ kg

⑬ 리본 14.6 m를 한 사람에게 4 m씩 나누어 줄 때 나누어 줄 수 있는 사람의 수와 남는 리본의 길이를 구해 보세요.

```
    3
4)1 4.6
  1 2
    2.6
```

나누어 줄 수 있는 사람의 수 : __3__ 명

남는 리본의 길이 : __2.6__ m

P 62 ~ 63

✏️ 알맞은 식을 쓰고 답을 구하세요.

① 철사 1 m를 모두 사용하여 정오각형 모양을 만들었습니다. 이 정오각형의 한 변의 길이는 몇 m인지 분수로 나타내세요.

식 : $1 \div 5 = \frac{1}{5}$ 답 : $\frac{1}{5}$ m

② 넓이가 13 cm²이고 세로가 9 cm인 직사각형의 가로는 몇 cm인지 분수로 나타내세요.

식 : $13 \div 9 = 1\frac{4}{9}$ 답 : $1\frac{4}{9}$ cm

✏️ 알맞은 식을 쓰고 답을 구하세요.

③ 민지가 가지고 있는 철사의 길이는 선우가 가지고 있는 철사의 길이의 4배입니다. 민지가 철사 5.4 m를 가지고 있다면 선우가 가지고 있는 철사는 몇 m일까요?

식 : $5.4 \div 4 = 1.35$ 답 : 1.35 m

④ 명수네 가족은 딸기 따기 체험에서 딸기 20.7 kg을 땄습니다. 딴 딸기를 6상자에 나누어 담는다면 한 상자에 담아야 할 딸기는 몇 kg일까요?

식 : $20.7 \div 6 = 3.45$ 답 : 3.45 kg

✏️ 알맞은 식을 쓰고 답을 구하세요.

⑤ 우유 $\frac{24}{29}$ L를 한 병에 $\frac{4}{29}$ L씩 똑같이 나누어 담으려고 합니다. 몇 개의 병에 나누어 담을 수 있을까요?

식 : $\frac{24}{29} \div \frac{4}{29} = 6$ 답 : 6개

⑥ 경유 $\frac{3}{23}$ L로 $\frac{16}{23}$ km를 가는 자동차가 있습니다. 이 자동차는 경유 1 L로 몇 km를 갈 수 있을까요?

식 : $\frac{16}{23} \div \frac{3}{23} = 5\frac{1}{3}$ 답 : $5\frac{1}{3}$ km

✏️ 알맞은 식을 쓰고 답을 구하세요.

⑦ 당근 117 kg을 한 상자에 7.8 kg씩 담으면 모두 몇 상자가 될까요?

식 : $117 \div 7.8 = 15$ 답 : 15상자

⑧ 색 테이프 40 m를 1.25 m씩 잘라 리본을 만들려고 합니다. 리본을 몇 개 만들 수 있을까요?

식 : $40 \div 1.25 = 32$ 답 : 32개

P 64 ~ 65

✏️ 알맞은 식을 쓰고 답을 구하세요.

① 한 병에 $\frac{7}{6}$ L씩 들어 있는 수정과가 6병 있습니다. 이 수정과를 10일 동안 똑같이 나누어 마신다면 하루에 몇 L씩 마실 수 있을까요?

식 : $\frac{7}{6} \times 6 = 7,\ 7 \div 10 = \frac{7}{10}$ 답 : $\frac{7}{10}$ L

② 한 상자에 $\frac{5}{7}$ kg씩 들어 있는 체리 14상자를 9일 동안 똑같이 나누어 먹는다면 하루에 몇 kg씩 먹을 수 있을까요?

식 : $\frac{5}{7} \times 14 = 10,\ 10 \div 9 = 1\frac{1}{9}$ 답 : $1\frac{1}{9}$ kg

✏️ 어림셈하여 몫의 소수점 위치가 올바른 식을 찾아 ○표 하세요.

③
$17.32 \div 4 = 433$	$17.32 \div 4 = 43.3$
$\boxed{17.32 \div 4 = 4.33}$	$17.32 \div 4 = 0.433$

17.32를 반올림하여 일의 자리까지 나타내면 17입니다.
17÷4의 몫은 4보다 크고 5보다 작은 수이므로 **17.32÷4=4.33**이 답이 됩니다.

④
$7.6 \div 8 = 950$	$7.6 \div 8 = 95$
$7.6 \div 8 = 9.5$	$\boxed{7.6 \div 8 = 0.95}$

나누어지는 수가 나누는 수보다 작으면 몫이 1보다 작습니다.
따라서 **7.6÷8=0.95**가 답이 됩니다.

✏️ 알맞은 식을 쓰고 답을 구하세요.

⑤ 후추 $\frac{3}{4}$ kg을 한 통에 $\frac{3}{16}$ kg씩 담았습니다. 후추를 담은 통은 모두 몇 개일까요?

식 : $\frac{3}{4} \div \frac{3}{16} = 4$ 답 : 4개

⑥ 똑같은 케이크를 다회는 전체의 $\frac{5}{12}$를 먹었고, 민지는 전체의 $\frac{7}{18}$을 먹었습니다. 민지가 먹은 케이크 양은 다회가 먹은 케이크 양의 몇 배일까요?

식 : $\frac{7}{18} \div \frac{5}{12} = \frac{14}{15}$ 답 : $\frac{14}{15}$배

✏️ 알맞은 식을 쓰고 답을 구하세요.

⑦ 끈을 현정이는 18.5 cm, 가인이는 15 cm를 가지고 있습니다. 현정이가 가지고 있는 끈의 길이는 가인이가 가지고 있는 끈의 길이의 몇 배인지 반올림하여 소수 첫째 자리까지 나타내세요.

식 : $18.5 \div 15 = 1.23\cdots$ 답 : 1.2배

⑧ 넓이가 7 m²인 논에 40 kg짜리 거름 한 통을 골고루 나누어 뿌릴 때 논 1 m²에 필요한 거름은 몇 kg인지 반올림하여 소수 첫째 자리까지 나타내세요.

식 : $40 \div 7 = 5.71\cdots$ 답 : 5.7 kg

P 66 ~ 67

3회차 진단평가

월 일
제한 시간 15분
맞은 개수 / 8개

✎ 알맞은 식을 쓰고 답을 구하세요.

① 물 $\frac{7}{12}$ L를 크기가 같은 컵 5개에 똑같이 나누어 담았습니다. 컵 한 개에 담은 물은 몇 L일까요?

식 : $\frac{7}{12} \div 5 = \frac{7}{60}$ 답 : $\frac{7}{60}$ L

② 길이가 $\frac{21}{8}$ m인 철사를 남김없이 모두 사용하여 정칠각형 한 개를 만들었습니다. 만든 정칠각형의 한 변의 길이는 몇 m일까요?

식 : $\frac{21}{8} \div 7 = \frac{3}{8}$ 답 : $\frac{3}{8}$ m

✎ 알맞은 식을 쓰고 답을 구하세요.

③ 무게가 같은 연필 1타의 무게는 84.6 g입니다. 연필 한 자루의 무게는 몇 g일까요? (단, 1타는 12자루입니다.)

식 : 84.6÷12=7.05 답 : 7.05 g

④ 리본 54.3 cm를 6명이 똑같이 나누어 가지려고 합니다. 한 명이 가질 수 있는 리본은 몇 cm일까요?

식 : 54.3÷6=9.05 답 : 9.05 cm

✎ 알맞은 식을 쓰고 답을 구하세요.

⑤ 자전거를 타고 6 km를 가는 데 $\frac{3}{7}$시간이 걸렸습니다. 같은 빠르기로 한 시간 동안 몇 km를 갈 수 있을까요?

식 : $6 \div \frac{3}{7} = 14$ 답 : 14 km

⑥ 식혜가 16 L 있습니다. 하루에 식혜를 $\frac{4}{5}$ L씩 먹는다면 며칠 동안 먹을 수 있을까요?

식 : $16 \div \frac{4}{5} = 20$ 답 : 20일

✎ 알맞은 식을 쓰고 답을 구하세요.

⑦ 오렌지주스는 14.84 L, 포도주스는 5.3 L 있습니다. 오렌지주스 양은 포도주스 양의 몇 배일까요?

식 : 14.84÷5.3=2.8 답 : 2.8배

⑧ 민주가 가지고 있는 모래의 양은 흙의 양의 1.7배입니다. 가지고 있는 모래가 9.18 g일 때 가지고 있는 흙은 몇 g일까요?

식 : 9.18÷1.7=5.4 답 : 5.4 g

P 68 ~ 69

4회차 진단평가

월 일
제한 시간 15분
맞은 개수 / 8개

✎ 알맞은 식을 쓰고 답을 구하세요.

① 무게가 똑같은 참외 7개의 무게를 재어 보니 $4\frac{1}{5}$ kg이었습니다. 참외 한 개의 무게는 몇 kg일까요?

식 : $4\frac{1}{5} \div 7 = \frac{3}{5}$ 답 : $\frac{3}{5}$ kg

② 성준이는 식혜 $3\frac{6}{7}$ L를 9일 동안 똑같이 나누어 마셨습니다. 하루에 몇 L씩 마셨을까요?

식 : $3\frac{6}{7} \div 9 = \frac{3}{7}$ 답 : $\frac{3}{7}$ L

✎ 알맞은 식을 쓰고 답을 구하세요.

③ 가로가 4 cm이고 넓이가 27 cm²인 직사각형의 세로는 몇 cm인지 소수로 나타내세요.

식 : 27÷4=6.75 답 : 6.75 cm

④ 주스 12 L를 25개의 컵에 똑같이 나누어 담았습니다. 컵 하나에 주스는 몇 L 있는지 소수로 나타내세요.

식 : 12÷25=0.48 답 : 0.48 L

✎ 알맞은 식을 쓰고 답을 구하세요.

⑤ 필통의 무게는 $\frac{2}{3}$ kg이고, 지갑의 무게는 $\frac{5}{12}$ kg입니다. 필통의 무게는 지갑의 무게의 몇 배일까요?

식 : $\frac{2}{3} \div \frac{5}{12} = 1\frac{3}{5}$ 답 : $1\frac{3}{5}$배

⑥ 고추장 $\frac{5}{9}$ kg을 빈 통에 담아 보니 통의 $\frac{5}{6}$가 채워졌습니다. 한 통을 가득 채울 수 있는 고추장의 양은 몇 kg일까요?

식 : $\frac{5}{9} \div \frac{5}{6} = \frac{2}{3}$ 답 : $\frac{2}{3}$ kg

✎ 알맞은 식을 쓰고 답을 구하세요.

⑦ 식초 15.7 L를 한 통에 3 L씩 나누어 담으려고 합니다. 식초를 남김없이 모두 담으려면 통은 최소 몇 개 필요한지 구해 보세요.

답 : 6개

$$3 \overline{)\, 15.7 \,}$$
$$\underline{15}$$
$$0.7$$

남는 식초 0.7 L도 1통에 담아야 하므로 필요한 통은 5+1=6(개)입니다.

⑧ 현미 57.6 kg을 한 자루에 8 kg씩 나누어 담으려고 합니다. 현미를 남김없이 모두 담으려면 자루는 최소 몇 개 필요한지 구해 보세요.

답 : 8개

$$8 \overline{)\, 57.6 \,}$$
$$\underline{56}$$
$$1.6$$

남는 현미 1.6 kg도 1자루에 담아야 하므로 필요한 자루는 7+1=8(개)입니다.

P 70 ~ 71

5회차 진단평가

월 일
제한 시간 15분
맞은 개수 / 8개

✎ 다음 물음에 답하세요.

① ☐ 안에 들어갈 수 있는 자연수를 모두 써 보세요.

$$1\frac{1}{4} \div 7 > \frac{\square}{28}$$

답 : **1, 2, 3, 4**

$1\frac{1}{4} \div 7 = \frac{5}{4} \times \frac{1}{7} = \frac{5}{28}$ 이므로 $\frac{5}{28} > \frac{\square}{28}$
따라서 ☐ < 5입니다.

② ☐ 안에 들어갈 수 있는 자연수는 모두 몇 개인지 구해 보세요.

$$\frac{\square}{5} < 3\frac{1}{5} \div 4$$

답 : **3개**

$3\frac{1}{5} \div 4 = \frac{16}{5} \times \frac{1}{4} = \frac{4}{5}$ 이므로 $\frac{\square}{5} < \frac{4}{5}$
따라서 ☐ < 4입니다.

✎ 알맞은 식을 쓰고 답을 구하세요.

③ 우유 22.4 L를 병 8개에 똑같이 나누어 담으려고 합니다. 병 한 개에 담아야 할 우유는 몇 L일까요?

식 : **22.4÷8=2.8**   답 : **2.8 L**

④ 무게가 같은 참치캔 9개의 무게는 2.16 kg입니다. 참치캔 한 개의 무게는 몇 kg일까요?

식 : **2.16÷9=0.24**   답 : **0.24 kg**

✎ 알맞은 식을 쓰고 답을 구하세요.

⑤ 떡볶이 1인분을 만드는 데 떡 $\frac{8}{15}$ kg이 필요합니다. 떡 $5\frac{1}{3}$ kg으로 만들 수 있는 떡볶이는 몇 인분일까요?

식 : $5\frac{1}{3} \div \frac{8}{15} = 10$ 답 : **10인분**

⑥ 효준이는 강아지와 앵무새를 한 마리씩 키우고 있습니다. 강아지의 무게는 $\frac{14}{3}$ kg, 앵무새의 무게는 $\frac{5}{9}$ kg일 때, 강아지의 무게는 앵무새의 무게의 몇 배일까요?

식 : $\frac{14}{3} \div \frac{5}{9} = 8\frac{2}{5}$ 답 : $8\frac{2}{5}$배

✎ 알맞은 식을 쓰고 답을 구하세요.

⑦ 식혜 15.3 L가 있습니다. 식혜를 그릇 한 개에 0.9 L씩 담는다면 그릇 몇 개가 필요할까요?

식 : **15.3÷0.9=17**   답 : **17개**

⑧ 길이가 30.82 m인 끈을 0.67 m씩 모두 잘랐습니다. 자른 끈은 모두 몇 도막일까요?

식 : **30.82÷0.67=46**   답 : **46도막**

"

The essence of mathematics
is its freedom.

"

"수학의 본질은 그 자유로움에 있다."

Georg Cantor, 게오르크 칸토어